王朔——著

玩的就是心跳

北京出版集团公司
北京十月文艺出版社

一

夜里我和几个朋友打了一宿牌。前半夜我倍儿起“点”，一直浪着打。后半夜“点”打尽了，牌桌上出了偏牌型，铁牌也被破得稀里哗啦,到早晨我第一个被抽“立”了。我走开想眯一会儿，可脑子乱哄哄的既清醒又麻木，一闭眼就出现一手手牌型，睡也睡不着。这时院里收发室打来一个电话，说有我电报叫我去取。我懒得去就叫他在电话里把电报念一遍。电报是从南方一个城市打来的，内容是“我友某某偕某某乘某日某次列车到京新婚旅行望接望热情款待如款待我本人”，落款“明松”。

我撂下电话就冲拿着一手“拒人”牌美滋滋地边喝茶边劝要“推”牌的庄家“打下去”的吴胖子抱怨：“准又是你干的好事，你在外地诱完妞儿，全留我的地址，你踏实了人家有事全扑我来了——我受得了吗？”

“别赖我，啊，”吴胖子问清了电报落款说，“我哪认识过敢叫‘明松’的人。你自己一出门就瞎套瓷，逮谁给谁留地址，是人不是人就跟人家拍胸脯：以后北京有事尽管找我。得，人家真找来了——你又傻了。”

我问在座的几位谁还记得“明松”是谁，大家都说不知道。“哪有好人叫这种名字的。”刘会元一边搓着牌一边说，“明松不认得，‘明灯儿’倒认识几个。”

大家乐：“爱谁谁吧，甭搭理他完了。”

“那哪成？”我说，“还不知道新娘子长什么模样哪能就完了？”

“黑心！”大家说，“——狠！”

我乐着去找列车时刻表，查出那次列车到站时间——还有一小时就到了，忙去穿鞋换衣服。

“要是有人或电话找我就说大帅府临时有个会我去了，有事到那儿找我。”

“皮裤衩穿了吗？别到那儿警卫不让进。”

“要是男的我们给丫打出去，要是女的我们可就当场没收。”

我在鞋盒子盖上写了几个粗字：我是方言。举着它迎着人流站在车站出站口。出站的和接人的路过我身边都看我，就像看傻子。实际上，我也的确傻，顶着凛冽的寒风在车站广场站了两个小时也没人前来相认。车站的秩序比我想象的还要混乱些，很多列车晚点，那些早晨就该到站的列车这时正陆续到站，和中午正点到达的列车混在一起。各车次的旅客潮水般地同时出站，根本无法根据车站预告判断哪些人是你要接的哪次车的，只好一拨拨地问。我把鞋盒盖举到每一对看上去比较体面的青年男女面前，并用热切、期待的目光看着他们，最后甚至不再挑剔他们的长相，就是女的丑些也凑上去，仍然一无所获。我已经精疲力竭了，这时遇到一个朋友，他来接女友。他指点我去看一下车站悬挂的到站列车时刻表，我才发现我在家看的那本列车时刻表是过期的，按新的时刻表，我接的那班车还有两个小时才到站。

两个小时比较讨厌，如果回家的话到家喘口气儿就得往回踅，如果站在广场干等又实在漫长不堪忍受。我出来穿得很厚，这时已被寒风吹透，脚指头都麻了。我得找个暖和的地方吃点东西。彼时正是吃午饭的时候，车站附近所有的饭馆都挤满了人，嘈杂喧嚣抢饭似的。桌上堆着一摞摞油腻腌臜的剩碗盘，汤菜汁漫席横流，那股味一掀棉帘子能顶人一跟头。于是我坐了一站车，到崇文门一带的繁华街面找馆子。这儿的馆子这时候人也很多，但秩序井然，餐具和食物也还大致干净，价格稍贵但看上去起码不恶心不熏脑浆子。我在一家店堂明亮温暖的快餐店吃了一盘所谓的意大利面条，喝了碗所谓的美国汤，然后买了罐真正的中国啤酒坐在靠窗的座位泡时间。邻座一伙也在喝酒泡时间的男女中的一个男的冲我点头，我也冲他点头，他拉开一张空椅请我过去，我端着自己的酒笑着走过去坐在他们一桌冲所有人点头。

“你最近干吗呢？”那男的笑着问我。

“没干吗，没事。”我也笑着问他：“你干吗呢？”

“也没事。”那男的说，“好久没见，听说你最近一直在南边。”

“喔喔。”我含糊其辞地应着，盯着同桌一个颇有姿色的姑娘看，她正跟旁边一个大胡子男人调笑。

“听说你发了，大把的钱。”

“没有没有。”我看第二个姑娘，觉得她长相一般。

“发了就发了嘛，别不好意思。”

“哪儿的话，发了我还有什么不好意思的——我倒想发，发了我还在这儿坐着？”第三个姑娘像个冻柿子霜里透红。

“你这人没劲，跟哥们儿不说实话。”

“真的真的。”我收回目光，看那男的。

“人家都看见你了，拎着一皮包钱在广州开房间，就上个月，是不是谭丽？”那男的对那个颇有姿色的姑娘说。

那姑娘正眼瞧瞧我：“你就是方言？”

“这倒没错。”我嬉皮笑脸。

那姑娘没笑，挺正经地问我：“你认识沙青吧？”

“不就是那老爷们儿吗？”

“你看，他净打岔。”那姑娘笑着对其他人说，“我没法跟他说话，人家是女孩子，什么老爷们儿。”

“你净打岔，忒不地道。”

“不是不是。”我盯着谭丽笑着说，“怎么着，她说她认识我？那你带她来找我玩呀，我们熟人也好见见面。”

“你们那么熟还用我带？你要真想找她我倒是可以告她一声。”谭丽暧昧地冲我笑。

我也暧昧地冲她笑：“你不一定非得叫上她，自己来也行。”

“哟，这就直接开诱了。谭丽你小心点这人比较坏。”

谭丽笑着瞟大胡子一眼，大胡子正跟冻柿子说笑。“我去你那儿干吗？我又不认识你。”

“一回生二回熟，认识起来还不快？别那么见外。你瞧我第一次见你，没说几句，可我从心里就觉得咱们跟亲人似的。”

“嘻，真可怕。”

“可怕什么，咱们就这么定了。一会儿咱俩走，他们爱干吗干吗去。”

谭丽笑得什么似的，既不答应也不拒绝，蛮有兴致地跟我逗。我们逗了一会儿，又聊了会儿别的。那帮人起身要走。谭丽站起来冲我笑着说：“走了，以后见。”

“不跟我走了？不走算了，回见。别忘了我，每天睡觉前闭眼想想。”

“你这是一套固定路数吗？跟谁都这么说。”

“没错，真让你猜着了。”我笑着冲她摆摆手。那帮人走后，我也忘了自己到这干吗来了，百无聊赖地又坐了半天，喝光啤酒捏扁啤酒罐出了快餐店。

街上刮着强劲的风，路面被刮得干干净净，行人都穿得很严实，捂着帽子戴着口罩只露出一双眼睛匆匆走着。冬日苦短，天已经昏暗了，路灯未亮但街边的商店都开了灯。我在街上顶风走了会儿发觉坚持不住，便拐进胡同去找一个朋友。朋友不在家，敲了半天门没人答应。我又出了胡同，钻进街边一家个体饭馆用很长时间吃了碗面疙瘩，他们管这种面疙瘩叫“水饺”。

我再次来到大街，天已经完全黑了，一些商店的霓虹灯远远近近地闪烁，更多的商店关了门。下班的人潮已过，街上很冷清。我步行到东单路口，这儿热闹些，长安街上灯火通明，数条车龙相对川流。我看到一个大房子的门口张灯结彩，人头攒集，便信步走过去。我记得这是家菜市场，心下纳闷离春节尚有二月余，为何此刻便通宵抢购年货。待走到近前，看清那些衣着华丽的男女并听到音乐传出才明白过来这儿改舞场了。我看到一个朋友正站在菜场门口一边大声和把门的小伙子说笑一边数着人往里带朋友，忙凑上去跟他打招呼，他在我背上拍了一巴掌把我拍了进去。

菜场里那些白瓷砖的水产品池子和水泥肉案已撤去鱼、肉，摆上饮料在卖。乐队坐在蔬菜柜台后面演奏。菜场上空拉了五彩纸带，悬了一些灯泡，倒也喜兴。成对的男女穿梭在鱼池子之间翩翩起舞，表情幸福。旁边的熟食罐头柜台外水泄不通地挤着一大圈或站或坐观舞的人，大都文质彬彬、气度非凡。我在舞场里遇到不少熟人，他们都喜洋洋的，一见我就问我是不是“发了”。

我初还解释“哪里哪里”，后来便有些焦躁，怎么谁见我都说我发了，这不是害我吗？我把里外衣服的兜儿全掏出来，对那些人说：“你们搜我得啦，再不成到我家搜去，谁搜出来归谁。”大家这才无话。

我和几个没舞伴的朋友结伙满场找单身姑娘搭讪，见一个袅娜些的就说：“你太不讲理了。”若那姑娘回头看，我们就接着说：“你长成这样还让不让我们这种相貌的人活了？”一般姑娘听到这么漂亮的恭维很少有不动容的，特别是那些其实长得并不醒目的姑娘，格外含羞带笑，如果再跟上一句：“我也豁出去高攀一回。”十个有十个立马起身扑过来，随你带她到哪个柜台旮旯去，怎么下套怎么钻。我们转了一圈，颇有收获，大伙儿全找到了称心如意的舞伴。我虽不跳舞，也玩得蛮高兴，和一个胖姑娘打了半天岔，说她特像赫本。一帮自带舞伴其中不乏漂亮妞的熟人舞罢一曲坐到附近。我走过去想碰碰运气擗出个把，连说带笑哄了半天，那帮男的没一个凑趣的，都挺冷淡，我看没戏就自己给自己找了个台阶下来走开。刚走开，听到一个女的问一个跟我说过话的男的我是谁，那男的对她说：“傻 ×，谁知道他是谁。”我顿觉颇受刺激，情绪一落万丈，胖姑娘笑盈盈地迎上来我也看她不顺眼了。我一个人躲到一边找了张椅子坐下来闷闷地抽烟，透过站在面前的人群身体缝隙看着舞场中移来移去的各种大脚、纤脚，深感人生无常、盛宴必散。

一个遥遥望去面部极富雕塑感的姑娘独自坐在菜场另一端僻静的角落，在人圈外静静地观舞，仿佛置身喧闹之外。舞场的灯光、音乐、舞步瞬息万变，唯她一动不动。我起身向她走去，愈走近愈觉其神采飘逸，在这鱼腥肉臭的场合令人精神为之一爽。她注意到我向她走来，眼睛闪闪发亮。我在她身边站定，对她说：“瞧这帮人那醉生梦死的样子。”她粲然一笑，犹如潮水退去露出礁石，我看到粉红的牙床和麻将牌般的牙齿。

我把胖姑娘安顿在楼前小松林里，指着楼上唯一亮着灯的那扇窗户对她说：“灯一灭，你就上来。”我得先把那帮玩牌的请走。

“我冷。”胖姑娘娇滴滴地说，“一起上去怕什么？”

“你不想被人轮奸吧？”

我撇下胖姑娘蹬蹬地上楼，打开门一边往里走一边嚷：“警察，警察来了，都放下手里东西坐着别动。”

“我们不动，你进来吧。”

屋里坐着三个穿着没有徽记的蓝棉大衣的男人，挺和气地望着我。其中一个招呼我：“你就是方言吧？我们等你半天了。”接着他代表另两个人向我做了个集体自我解释：他们是警察。

“你别哆嗦，哆嗦什么呀？”

我说我没哆嗦，我哆嗦不是害怕而是激动。我问警察是不是这就走，要走我就马上收拾东西，我得自个准备生活用具没人探监我得带齐了。

“你想去哪儿？”警察问我，“去我们那儿？不不，我们没打算接待你，你这么主动莫非干了什么？”

不不，我说我什么也没干，只不过弄不清警察三更半夜来找我干吗，以为自己干了什么，干什么没干什么到局子总能说清楚。

“你对公安局的信任态度我们很感动。”警察说，“其实没什么大不了的，我们找你是想找你了解点情况。”

“只要我知道的。”我拍拍胸脯。

那太好了太好了，警察客气地向我建议大家到屋里坐着谈，这么隔着门口一里一外地说话就像一个随时要跑一个随时准备去追似的。

我大声干笑着走进屋早一屁股坐在沙发上，随即又跳起来里外奔跑着找茶杯、茶叶、开水，沏茶拆烟拿糖拿瓜子，不停地寒暄说笑话把更舒服的地方让警察。

“你别忙活了。”一个警察说，“你转来转去闹得我头都晕了。我们不是来做客的。”

警察问我的是我一个过去的叫高洋的朋友。我告诉警察这人我有十年没见他了。十年前我们刚从部队复员时天天混在一起，后来他突然不知去向。我曾打听过他，可我们一起的朋友包括他弟弟高晋谁也不知道他去了哪儿，谁也没再见过他。关于他的下落曾有种种传闻，传得最广也最为大家接受的是说他发了笔财买了张假护照去菲律宾了。有人开玩笑地说他在吕宋岛种烟叶，也有人说他当了新人民军，但这都是胡扯，因为谁也没去过菲律宾。

警察问我最后一次和他见面是什么时候在什么地方当时在场还有哪些人以及我们都谈了些什么。

我告诉警察那应该是夏天，因为我们当时都穿着短袖衬衫，整天汗津津的，我对街上到处停放支着凉篷的白色冰糕车印象很深。但考虑到我们当时是在祖国最南端的城市，而我们这个幅员辽阔的国家南北温差又是那么悬殊，所以按历法的习惯划分那也许是春天，在我国的大部分地区还是春天。

我告诉警察那时我和一帮哥们儿刚从三军各兵种复员，上身已经换了时髦的 T 恤衫下身还穿着不同颜色的军裤。那段日子我们无牵无挂，一心想的只是尽情享乐。我们在吃饭，满面笑容地围坐在一起大吃大喝。我们好像老是在吃饭，不间断地在各种不同环境的餐馆里吃饭。那段日子我们肯定还饶有兴趣、忙忙碌碌地干了些别的，但我一想起那些日子脑子里出现的只是吃饭，一连串印象鲜明的吃饭场面。

我们在一个大天井式的餐馆的露天餐厅吃饭的那次，大概是我和高洋最后一次见面……这个餐馆的名字我记不得了，位置是在七八条居民巷子的交汇处。我们是在城里的老居民区乱逛时随意拐进去的。餐馆门口像个车库入口，门上悬挂着沉重乌黑的金字木匾。门口还有水泥电线杆，站在门口可以看到放射状通向四面八方的巷子，至少有两条巷口外面是人来车往的繁华大街。餐馆门里的天井摆了上百张绿漆斑驳的铁餐桌。四周的建筑是那种高大的殖民地风格的两层楼房，有花纹繁复的水泥廊柱和同样精雕细镂的石栏以及拱形长窗，石质表面已因风雨侵蚀和油烟熏染变得乌黑了。餐馆正楼是一幢完全中国古典风格的巍峨楼阁，雕梁画栋，重重飞檐，窗子上刻着剔透的花鸟虫草，可以联扇叠开，使正楼变成数层大戏台般的通堂敞轩。不知是我记忆有误还是那天我们去的时候还不到营业时间，整个天井空无一人，连服务员也不见踪影。正楼内门窗一字敞开，井井有条摆放堂内的红木桌椅擦得乌油锃亮，墙上挂着中国山水画和龙飞凤舞的狂草书法，四角有大盆茂盛的植物和缤纷艳丽毫无香气的花卉。当时我可能毫无感想，但今天回想起来我总感到那个豪奢颓败的餐馆在等什么人。

我对天井中阳光弥漫和荫凉浸肤印象同样强烈。如果前者是真实感受我们去那个餐馆的时间就是上午，如果是后者那理当是下午，再有一种可能就是我们那天从上午一直坐到下午。

至今我犹能清晰地想起在座者的每一个笑容、每一个手势以及豪饮时的夸张动作和滔滔不绝讲话时的面部表情。但与之相关的谈话内容，那些伴随口形张合产生的声音却讨厌地失去了，那些寻欢作乐的场面是无声的。

我们八个人紧紧围坐在一张不大的方铁桌旁——一面两个。我对面是高晋、许逊，右手是汪若海和一个风流女子——我们大家的情妇乔乔，我旁边是另一个公共财产夏红，夏红左手是高洋，高洋攥着夏红的一只手，高洋旁边……说到这儿我结巴起来："不，不，不该是他，是他就不对了。"

我越是极力想抹去卓越的形象，脑子里就越顽固地出现身穿白色水兵服的卓越，满面放光地举着堆着丰富泡沫的啤酒，在高洋旁边笑着嚷着的情景……

我试着重新数人，但数到最后仍然被卓越挡住。一次又一次地挡住，无法逾越。

"我可能记乱了。"我向警察解释最后一个为什么不能是卓越：这个人是个死人，在我们退役的前一年他就因舰艇事故牺牲了。如果他在场，那次吃饭就不该是我和高洋的最后一次见面，而且那时——当兵时，我们根本不认识什么乔五乔六的。

"别着急，好好想想。"警察安慰我，"你大概是记错了。"我紧张地思索，但却越来越深地陷进卓越在场的偏执想象之中。

"我们把他拿掉怎么样？"警察温和地向我建议，"既然他是个确凿无疑的死人。"

令我不安的只拿掉卓越势必要把高洋一起拿掉，他们俩在我的印象中是密不可分地处于同一个场面之中。而拿掉高洋、夏红便又不完整了。他们的手连在一起，夏红的腿贴着我的腿，拿掉她我也倾斜了。如此类推，我们这根绳子的每个环节都将依次松开——那个桌旁一个人都没有了。这是荒谬的。现在唯一的办法就是强行分割卓越和高洋，但另一个不容忽视的问题是割去卓越，高洋和高晋之间仍有一个空隙，高洋旁边坐的是谁？像一条一头系在水鼓一头系在舰上的缆绳，既然要把这二者连接起来中间就不能缺少任何环节——我不能让那个位子空着。

警察小心地提醒我是否我把那天吃饭的人数记错了。那天就是七个人而不是八个人。“如果是这样，那一切就都可以解释了。”

我坚定地予以否认：“坐得满满的，一面两个人，我虽然不识多少字，加法还是会的。”

看得出来，警察对我的说法持怀疑态度。他们不再就有谁在场向我提问，而是问当时高洋给我留下了什么印象。

我说高洋当时和其他人一样，看不出有什么异常，一直在笑在吃在喝，就是后来喝了不少酒后也没有流露一丝忧郁和焦虑，从始到终相当快活。当时大家都在胡吹自己在金钱和女人上的得手，唯独他没有。他只是满面笑容地听着呷着酒，不时和其他人对视笑笑，给人一种相当超然宽厚的感觉，像每个万事顺利并将有更美妙的前景等着自己的幸运儿那样倾听那些生活的可怜虫数说自己微不足道的幸福。后来饭没吃完，他便叫来服务员付了账，拎着一只硬壳公文箱离席而去。我送他到门口，有一辆红色计程车在等着他，大概是他早就要好的。我们最后握了握手，互相笑笑，他就坐上车走了。我听见他对司机说去火车站，他好像急着去赶一班火车，从此就再没见过他。

我以一个目击者的客观口吻讲着我对高洋的最后印象。其实这种印象我可以从任何一个将要高升、出国的人脸上得到——很难说我的这个印象得自谁。我不敢对警察说那天我其实对高洋没什么印象。我想他们已经有些认为我语焉不详有意隐瞒或者更糟认为我在其中也有什么不可告人的行为，他们的脸色已经不那么好看了。处于我的地位我得取信他们，所以我只好捏造些事实。坦率地讲，我非但对高洋那天吃饭时的举止毫无印象，就连那一段我们朝夕相处打得火热的日子我也对高洋毫无印象。他给我留下的最后印象是我们在中学毕业前的一个上午。那天我午睡刚起，一脸倦态，满心不情愿地去上课。当时我已经迟到，通往学校的破破烂烂的街道上已看不见背书包的学生。高洋骑着一辆卸去后架座椅拔得很高的“二八”自行车迎面晃晃悠悠骑来。他看到我便停住，一脚支着地，从上往下瞟着我漫不经心地说他要当兵去了，到一个著名的军里的装甲部队。他那张圆圆的孩子脸上是一双大人般成熟、超然和宽厚的眼睛，脚旁边墙根儿下的湿土地上有一橛不知哪个野孩子刚拉的鲜黄的、盘旋向上有一个妙不可言的尖儿的冒着热气的屎，也许就是这橛巧夺天工的屎使我留下不可磨灭的印象。

这时候，胖姑娘上楼来了。我光顾应付警察早把小松林里翘首等灯闭信号的胖姑娘忘了。当敲门声响起时我和警察一样茫然。“你们楼下还布置人了？”我问警察，警察们使劲摇头，“那大概是高冰来了。”我开玩笑。打开门，看到胖姑娘我魂飞魄散堵着门让她赶紧走。胖姑娘委屈万分，她也的确怪可怜儿的，在松涛呼啸的林中站了两小时早被冻成了青颗椤。“你怎么这样？”她鼻涕哈拉地说。我刚想告诉她谁在屋里，警察已经出现在我身后。“是谁呀？让她进来吧。”

“没人，”我回身笑着对警察说，“一个邻居，找我要书，我借了她一本书答应今天还她。她看过了十二点我没去就找来了。”

“真是爱书如命，大半夜借呀还呀的。”

“晚吗？一点不晚。对咱们老百姓是晚点，可人家是作家，半夜正是来劲的时候，你不能要求知识分子和咱们老百姓用一个生物钟。”

我在书架上胡乱抽了本书《企业必须审时应变》塞给胖姑娘，

大声说：“对不起对不起误了您大事。”同时小声把吴胖子的地址告诉她，让她去吴胖子家，“就在这院里，拐个弯儿见垃圾站一直往下扎。”

胖姑娘也认出了那几位是警察，没吭声抱着书掉头飞跑下楼。

“她正在写一本改革的书，日夜兼程。”我对警察说，“您几位爱看，赶明儿我叫她送你们一本。”

“得啦，别胡拽了。我们不管你的闲事，你当我们是吃干饭的。”

“女作家就没有胖的吗？”我不服地说，“别太以貌取人。”

警察没搭理我，抽了几根烟，闲聊一会儿又继续讯问。他们问我和高洋分手后去了哪里？我说不久我就回了家，去“复转军人安置办公室”报了到，被分到一家挺有名的大药店卖药膏，那药店就在市公安局旁边的大街上，“没准你们还从我手里买过药呢。警察来买药我总是特客气。军警军警，当过兵的人看见警察总觉得像见着兄弟一样感到亲。当年我也差点当了警察，公安局招人的干部在‘安置办’拿着表格堵着我问：‘干不干警察？干就填表。’我想我这人律己精神特差，没准给警察队伍抹黑，要不，咱们也就是同事了。”

警察们笑：“那找你就方便了。”

“你们是不是也当过兵？当过兵的人一眼就能看得出来，举止总有点与众不同的派头，眉宇间透着那么一股英气。”

敢情警察也吃这一套，瞧他们笑的。

“我们一起复员下来的朋友很多人都当了警察，市局、各分局全有。许逊，许逊是一个；还有魏人，魏人你们认识吧？也是市局的。”

“我说，咱别老聊好不好？等正事办完了你要想聊咱们再聊，聊到什么时候都可以。刚谈会儿就开聊，刚谈会儿就开聊——不好。”

“好好，谈正经的，你们说你们说。”

“你说你一回来就上了班，到那个药店。你一直在那个药店上班吗？”警察往回翻着记录问。

“是啊，除了休息日。后来，三年后我退职不干了。咱们当过兵的人，闯荡惯了，老闷在一个地方受不了，心老是野着静不下来。你们刚当兵回来是不是也特不习惯？老百姓的日子天天一样，原来挺着的也能给捂蔫了。噢，你们当警察可能好点，挺惊险，天天血光刀影。”

“据我们了解，你上班后不到一个月的时候突然一个星期不知去向。噢，他刚才后面说的那些话不要记了，他说的那些与这件事无关的话都不用记。”为首的警察对那两个正在同时做着记录的警察说，“你去哪儿啦？”他问我。

“我去哪儿了？我哪也没去。我走过吗？”

“你走过。你那个药店为此还给过你延期三个月转正的处分。”

“我想起来了。我那七天去广州了，向一个朋友借了笔钱去广州贩衣服了。这事高晋、许逊他们全知道。我带回来的一些衣服曾放在他们那儿卖，后来全让他们送‘喇’了。这事我做得不对，贩衣服算犯法吧？”

“这是第二年的事，第二年你又跑了七天，去贩衣服，赔了本。我问的是你参加工作第一年你跑了七天去哪儿了？”

“想不起来了，”我说，“实在想不起来了。我那会儿心情不好，怀才不遇，经常不去上班，哪儿也不去，满大街溜达，所谓踯躅街头。”

“好好想想，这很重要。”警察站起来踱步，拿起我书桌上的大理石笔筒端详，又把目光落在积满烟蒂的大理石烟缸和旁边的两把大理石镇尺。

“我慢慢想可以吗？时间过去这么久，我又没干过惊天动地的事可以作为一个个里程碑。”

“你去过云南吗？”警察问我。

“没有，可我一直特想去，听说那儿的少数民族洗澡让人看，姑娘一辈子不找丈夫，敞开儿‘喇’，不犯错误，比咱汉族聚居区洒多了……这些大理石玩意儿是别人送的。”

“谁？谁送的？”

“高洋。”

警察的六只眼睛顿时像通了电的灯光一样亮了起来。

“哟哟哟，怎么啦？”

“这些东西他什么时候送你的？是在那次吃饭前还是之后？”

“肯定是前啦，那次饭后我再没见过他。送我东西的日子我记不清了。除了这些玩意儿他还送我一把长刀，号称那鞘是包银的，我美滋滋地跟人家四处乱吹，后来碰上一个首饰厂的告诉我那鞘上包的是白铁皮。什么云南姑娘大白天在河里洗澡，一双臭胶鞋换五缸子白糖都是高洋跟我说的。”

“那刀在哪儿？”

“你们可不能没收，那不算凶器是工艺品。”

“我们不没收，就看看。”

“看看可以，说话算话。”

我去卧房床下拿出一把银色的长刀给警察们看。“这柄把的做工够细的吧。”我告诉他们鞘身上镶嵌的不是宝石而是彩色玻璃，“这是那些小贩鱼目混珠的伎俩。”我抽出长刀，刀身光泽黯淡，镂刻着花卉和浅槽，刀刃并不锋利。我舞将起来，作出种种劈刺的雄壮动作。警察们散开，喊“放下，快放下”。

我笑嘻嘻地说："放心，我就是真杀你们也不会用这种刀，这种刀都是样子货，钢很次。"

"不是怕你杀我们，是怕你伤着自己。"警察小心地围拢过来，从我手里接过刀仔细端详。

"这些刀刃的缺口是怎么回事？"一个警察问。

"噢，那是我劈老百姓的甘蔗林锛的，知道了吧，这刀劈甘蔗都锛刀。"

"甘蔗？哪儿的甘蔗？"警察们看着我，一脸狐疑的警觉。

"说着玩呢。"我说，"不是劈甘蔗就是劈树，手里拿把刀总想砍点什么。"

"你瞧，这块乌黑印渍不是血？"一个警察小声对另一个警察说。

"鸡血。"我对警察说，"我用这把刀砍过老乡的鸡，像日本兵进村那样，特好玩。"

我伸手去拿刀，警察缩回手把刀入鞘交给另一个警察："这刀我们要带走。"

"说好光看看的，怎么，说话不算话？以后我还信不信你们？"

"不是没收。"警察向我保证，"看完我们会还给你。"

"不够意思，太不够意思了。"

警察结束对我的盘问时，天已经拂晓，天边露出鱼肚白。我们都累坏了，抽了一屋子烟熏得大家都泪汪汪的，像亲人相聚不忍分手。警察后来集中盘问我在那不知去向的七天里干了什么，我赌咒发誓说实在想不起来不是耍花枪。警察也灰了心，答应给我时间细想，过几天再来找我，让我把复员后到工作前这段时间都干了什么，见过什么人，去过哪里都写下来，到时候他们来取。我对他们说，这够写成一本长篇小说还有富余，流水账也得记三大本子。“你可别给我演义。”警察告诫我，“我们找你可不是寻开心培养文学新人，胡写只能是你自己倒霉。”后来我饿了，去厨房给自己下鸡蛋面条并问呵欠连天收拾东西的警察们要不要也“来上一碗”。警察们说不啦，我们该走了。我说别客气，反正你们回去也是吃饭睡觉干不了别的，一夜都混过来了早睡晚睡也就那么回事了。“要是你们怕我下毒或腐蚀你们那就算了。”“你要这么说那我们就只好吃了。”领头警察笑着说。“就是。”我说没听说过用鸡蛋面条当糖衣炮弹的。警察们重新坐下，我煮好面条格外给三位碗里多放了些香油。我们围坐一团踢里吐噜吃面条时气氛相当融洽。警察吃得唉声叹气——香的，吃罢还给我上了根烟。他们问我没工作钱从哪儿来？我说我也不知道，反正总能有钱。“可别干违法的事。”一个警察好心地规劝我，“不是正路来的钱你就吞下肚也早晚得吐出来。”我说我这辈子没干过违法的事，老实巴交，树叶掉下怕砸头，只知一味行善，远近都知道我是有名的“方善人”。警察提起我贩衣服的事，大家都笑。我说那时年轻。“少不更事”，再说现今贩衣服也不犯法，“只要不贩人一切都是政策允许的。”警察说我胡说，我说您别跟我认真。警察又问我当年一伙人花天酒地的钱从哪儿来的，我们那点复员费“不够三天踢腾的”。我说当年我们大伙花的都是高洋的钱。“高洋家有在海外去世的孤老吗？”我说没有，他家祖祖辈辈是内地的放牛娃，到他爸那辈实在活不下去，卖了壮丁，先当国军又当伪军最后当了八路军；倒是有个叔叔被日本人抓过劳工，在北海道下了二年煤窑，别的，连“猪仔”也没福当过。

“那他哪来的钱？”

“管他。”我笑着说，“偷来的抢来的骗来的爱怎么来的怎么来的，我们只管花。”

警察们走时天已经亮了，院里有些早起的老头在跑步打太极拳围着树转原地摇头摆尾瞎抖落，我把警察们送到吉普车旁亲亲热热地和他们握手告别。他们仨都把姓告诉了我，一个姓赵一个姓钱一个姓孙。

“下回公安局有事我可找你们。”

“瞧，一碗面条吃出毛病来了吧。”

“吓的，跟你们说着玩呢，咱公安局有哥们儿。”

二

吴胖子刚起床，穿着大裤衩露着一膀子肥肉叼着烟趿拉着鞋来给我开门。

“哟，你还活着，我还以为警察已经为民除害了。”

“昨晚给你发的快件收到了？咱哥们儿好事净想着你吧？”

“蛋，你也不先打个电话问问我媳妇在不在家就直接把人悠过来了。万一我媳妇突然回来撞上,你不是破坏我们家庭幸福嘛。”

我笑着把饭桌上的牛奶瓶拿过来揭开盖对着嘴喝：“惊喜交加是吗？没以为是狐仙什么的？”

“哪有那么胖的狐仙？”吴胖子也笑着说，“你丫也就能给我发点家常妇女——那胖闺女哪有点仙气，那么冷的天还热腾腾的。”

“你不是爱吃大肥肉？”我喝光牛奶把瓶往桌上一蹾，笑着四处打量，吴胖子的卧房门关得紧紧的。

“哎，警察找你干吗？”

“没事，一帮战友找我玩来了。”

“蛋，战友找你干吗把我们名字住址全登记下来。”

“还说呢，你们知道警察在我家也不说在门口等着我告我一声，让哥们儿来个措手不及一进门就现了个眼。”

“人家警察明戏，还不知道这腻？放我们走时就交代了：‘谁要不回家跟楼门口这儿晃让我看见可没轻的’——警察找你干吗？”

“有个案子他们破不了啦，找我给拿主意。”

“你就牛 × 吧，大枪顶脑门你丫也忘不了牛 ×。”

我笑着往吴胖子卧室走。吴胖子在后喊：“你要干什么把人带走回家干去，别在我这儿祸害。”

“我还偏在你这儿祸害，出了事就说你提供奸宿。”

胖姑娘已经穿好衣服低头坐在床边，见我进来就喘粗气。

“怎么啦赫本？别那么激动，你就把我当个普通中国人。”

“你别碰，有话好好说话，手没地儿搁就揣兜里。”

“哟哟哟，跟女神似的，干吗呀，装什么客气。”

“别过来，再走一步我从窗户跳下去了。”

“怎么回事？我这是碰见谁了，克里姆林宫卫队长还是唐塔医生——你跳呀，你不跳你都对不起我。”我笑着走过去，抓住胖姑娘两肩，她也反手把两只圆滚滚的手臂搭在我肩上。我们进进退退，搭着架子较量了几个回合就像一对摔跤手。胖姑娘一定是石匠的女儿，真有把子力气，脚下使了个绊，两臂一发力竟把我悠了出去，重重地摔在床上，床板一阵咔啦啦地响。

吴胖子听见动静冲进来，恳求地对我说：“你总不能在我家搞强奸吧。”

我艰难地从床上下来，揉着屁股看着胖姑娘敬畏地说：“我怎么碰上一个玩跤的。”

胖姑娘一脸凛然，向后甩甩头发，昂首望天。

“你也太生了。”吴胖子看着胖姑娘的脸色对我说：“人家赫本正生你的气呢，你都看不出来。昨晚那么晚你把人家一个人扔在小树林里，要是碰见坏人可怎么办？换我也得恼你是不是赫本？”

“别叫我赫本。”胖姑娘气冲冲地说，“你也不是东西，我这么喊，你都不进来，你还是不是男子汉？”

我看着吴胖子笑了：“得，赫本同志失望了。”

“你别走。”吴胖子笑着说。

“算了，我也看出这没我什么事了。”

“他不走我走。”

“你走吧。”

“一帮流氓。”胖姑娘厚着脸一阵风地冲出去，“哐”地摔上门。

“你瞧多不好，”我对吴胖子说，“人家把咱当流氓了。”

“咱们什么关系？她什么关系？能为娘儿们晒哥们儿吗？”吴胖子满面油光地呵呵乐，“她不走我媳妇往哪儿安。”

吴胖子张罗着给刘会元他们打电话，找人来“摸两把”。我问他中午管不管饭？他说“自然谁赢谁请”。刘会元他们来了，吴胖子告诉他们刚才我“玩跤”的事，大家乐不可支。接着他们又问我昨晚警察找我干吗？我说没事，警察也闷得慌。他们又问我新娘子长得如何，我半天没反应过来，后来才“噢噢”地说“早忘了”。我们玩到中午，去食堂吃了些包子，他们还要接着玩，我说我不能玩了，下午还有事。“你能有什么事？还有什么事比玩牌要紧？”我说是一个约会，并猥亵地挤挤眼。大家笑起来：“既然是这样，我们就不拦着你了。”

我从吴胖子家出来，乘上地铁。地铁车厢很暖和，我手拉吊环几乎站着睡着了，列车到站也没察觉，过了好几站才猛然惊醒，连忙下了车。我跑上地面,站在街上拦出租车,来往的出租车很多，但没一辆停下来。我走过两个街口，看到路边停着几辆出租车就上前问，几个司机是拉包月的，唯一拉散座的说他要收外汇券。我说知道，坐了上去从兜里拿出一沓外汇券给他看。司机把车开上马路，路上对我解释他不是歧视人民币，是他今天的外汇任务没完成不得不如此。现在一些长住北京的外国人也油了，坐车不付外汇券拿外汇去黑市倒。大伙儿又是那么需要外汇买洋货急得都疯了，就差组织义和团砸使馆了。大陆人不得不委屈些。其实他也挺有气挺看不惯。我浮着一脸假笑坐在后座点着头，脑子昏沉沉地只想倒头睡。我知道我这会儿不能糊涂，待会儿的谈话必须头脑清醒，另外对这慈眉善目的司机也得防着点。我要这会儿睡觉他敢拉着我上八达岭，最后搜走我所有的钱弄不好连大衣也得扒走。司机还在唠叨；其实人也是不开壶，放着现成的外汇不敢挣，那么多身强力壮的老外在中国素着，同时又有一些女青年无所事事过着毫无贡献的生活是吧，开放嘛搞活嘛旧的束缚人思想的老观念不打破怎么行？你很爱国很有忧患意识，你是个异想天开的好人；既然是好人你只好认倒霉，我没有外汇券只能给你人民币。车到了我去的饭店门口，我把那沓外汇券的上面一张拿下露出底下的人民币。你不干不让我走也行，随你把我拉到哪儿：你们车队公安局“五四三”办都可以，反正我没外汇券。唯一的这张也不能给你，因为我还得截长补短地坐出租，我要撕票要找钱一样不少，要不我就嚷嚷，你要嫌太亏太不上算受了骗好心没好报——你打我一顿得了。

我下了出租车，向饭店门里走去，对衣着华丽的门卫说找高晋，门卫点点头让我进去。天色灰霾，饭店大厅开着灯，站立走动的人群神色怠倦，总服务台墙上挂着两排石英钟，分别指着世界各地此刻的不同时间。一间间不同陈设情调各异的豪华的中西餐厅、酒吧灯火通明，桌上摆着精致的餐具虚席以待，使人穿堂而过时有一种昼夜不分的懒洋洋感觉。二楼天井四周的回廊宽大空旷，地面墙壁光可鉴人，每个拐角都放着沙发和盆栽植物，穹顶上是纵横交错的钢梁，上面覆盖着茶色玻璃高大得像体育馆。办公室在角落的一个包着皮革的小门里，里面是T字形的狭窄走廊，天花板低至头顶，灯光昏暗，每扇小门紧闭像进入一艘船的船舱。高晋不在他的办公室。每间办公室的门都锁着，敲门没人理。我从办公区出来，找着一排电话拿起来要总机呼叫“高总”，他的客人在二楼走廊上等他。天井下是一个堆着假山挂着瀑布栽着竹林种着槟榔和芭蕉、座位散布在山石树林之中的大咖啡厅，阴影重重，乐声似水，森然之气凛凛上升。二楼回廊上不闻人声，唯有观光电梯不时载着一厢厢衣着鲜艳的客人快速无声地滑上滑下。高晋穿着一身黑西装从回廊另一侧出现，沿着长长的红地毯向我走来，面无表情地和我打着招呼：

“你不是来吃饭吗？我一直在等你，看你总不来我就先去吃了。”

我说我吃过了，在外面吃了点。我问他是不是很忙。

他说你也不用怕打扰我，再忙谈会儿话的时间也有。他转身往天井下咖啡厅看看，凝视着我问我们是不是到下面“坐着谈”。

我说随便，“这是你的天下”。

他转身向楼下走，我跟着他。来到楼下咖啡厅，我们在一个角落坐下。硕大的咖啡厅几乎空无一人，垂手侍立一旁的女招待远远看见我们坐下忙急急走过来。高晋拿起饮料簿打开问我喝什么，我说随便。他说你“点”，我说都有什么，他说什么都有。我说那来罐啤酒吧。“我来一瓶矿泉水。”他对女招待说，合上饮料簿，转过身来面对着我，眼睛里的黑瞳仁一动不动。

“警察昨天来我家了，打听高洋……”

女招待送来啤酒和矿泉水，揭开盖，分别斟进两只杯子，然后退下。

“你知道他最近的消息吗？他干了什么？”

高晋喝了口矿泉水，放下杯子，抿抿嘴。“他死了，警察来我家通知我父母发现了他的尸体。”高晋的眼睛看向别处，“尸体已无法辨认，是通过他身上的一个旧复员证查明身份的。”

“不是刚死？”

“不是刚死。”高晋看着我摇着头。“据警察说尸体已经完全腐烂掉了，只剩一具骨架子；脑壳也不知掉到哪里被什么野兽叼跑；幸好复员证是塑料皮，里面的字迹和相片还能依稀辨认，估计起码死了不下十年。”

“就是说当年传他去菲律宾的时候他其实已经死了——尸体是在什么地方发现的？”

“云南，滇缅公路靠近保山的荒山野岭中。据说是一个从公路上翻车滚下大坡侥幸没死的司机发现草丛中的白骨。”

“有咖啡吗？”我说，“我想来杯咖啡，我两天没睡觉了。”

高晋对远处的女招待做了个手势。女招待走过来。他吩咐女招待来杯咖啡，“浓一点。”

“我想他不是自杀吧？”我用手搓搓脸，精神精神。

“不是自杀。警察说他的脑袋是被什么利器砍下去的。”高晋挥手做了砍的手势，“颈骨处有被切断的痕迹。”

我身子一挺，送咖啡来的女招待一躲，杯里的咖啡晃动起来，撒出一些在我的裤子上。女招待放下咖啡窘得不行。高晋盯着她，低声说：“快拿纸来给客人擦掉。”

“不不，没关系，反正裤子也脏了，该洗了。”

女招待拿来一沓香巾纸，我再次对她说：“没关系，不要紧，不用擦，已经渗进去了。”

高晋始终用眼睛盯着女招待，她退回自己待的位置高晋还一直盯着她。

“没关系，真的没关系。”我对高晋说，“你不要难为她。”

高晋根本不听我说的话，扬手叫那个女招待过来：“你是哪儿来的？实习的吧？你的服务号是多少？”

女招待是个很年轻的女孩子，脸飞红，低着头不吭声。

我连连对高晋说：“算了算了，何必呢，让她走吧，我没事。”

“不不，你不知道，我这饭店设备是一流的，可服务质量就是上不去干着急。外国人最讨厌的就是把饮料汤汁撒到身上，我们的服务员又不会说话，道个歉声小的只有她自己能听到。撒到中国人身上我们都会原谅，撒到外国人身上人家可不干，马上就对你这个饭店印象不好。”

高晋叫来值班经理，指着那个撒了咖啡的女招待说：“记下她”。

值班经理走后，我们继续谈话。高晋问我警察到我家去都问了我些什么。

“主要就是问我最后一次见高洋是什么时候在哪儿有谁。我说最后一次见高洋就是那次咱们在那个天井院子里吃饭，当时你不是也在场？咱们几个和那俩‘喇’。别的我没说什么，实际上我也记不清那会儿的事了，过了这么多年。我记得咱们当年也没干什么，就是挺单纯地去玩，要说那段时间潜藏有引发高洋死亡的契机的话，我也一点想不起来。”

“我也是这么跟警察说的。”高晋用手指敲击着桌面说，“虽然高洋是我哥哥，可你知道我们兄弟一向是谁也不管准的，他跟你们的关系往往倒比跟我密切些。他有什么话可能跟你们说却不一定跟我说，譬如女人。”

我笑起来，高晋抬眼看我，我喝了口咖啡：“我寻思着警察大概把我当成凶手了。”

高晋看着我，没有任何表示。

“警察从我家里拿走一把云南出的刀，刀上有卷刃和血迹。当时他们什么也没说，高洋死了也没说，刚才听你说我才明白他们一定以为这把刀就是砍了高洋脑袋的刀。”

“到底是不是呢？”

我笑：“这刀是高洋本人给我的，第一次从云南回来给我的，你说是不是？一个人怎么能把砍了自己脑袋的刀赠人，这又不是《西游记》。”

高晋长时间地看着我，垂下目光欠身拿杯喝了口矿泉水，又仰回椅背看着我：“这事我一点也不知道——高洋先前就去过云南还带回一些东西赠人，我只知道他这人对自然景观没什么兴趣，一向就喜欢在有美酒佳肴漂亮女人享受设施齐全的东南沿海城市混。警察说他死在云南的荒山里时我还纳闷很长时间，在我想象中他就是要死也应该死在某个大饭店的高级套房里死在某个女人的软床上才合理。”

“所以说你们名为兄弟，实则早为路人。”

“滴——滴——”高晋腰间悬挂的“BP 机”响了起来，他低头按了一下，液晶显示板上出现了一个电话号码和一个人名。

“对不起，有人找我，我得去打个电话。”高晋站起来，向服务台的电话走去。我看着他打了个电话，和什么人说了半天，随即又打了个电话，简短地说了几句，放下电话走回来，半路上遇到一个送饮料回来的女招待，他还把人家叫住，指给她看远处喷泉池旁一对刚入座的外国男女让她快去侍应。

“你还记得那年咱们从南边回来后干了些什么吗？”我对高晋说，“警察说我在药店上班后有七天不知去向——他们想是怀疑我那七天跑到云南砍了高洋又悄悄溜了回来。”我笑，“我也不记得我那七天去了哪儿，那时咱们还有来往，有什么事都通气儿，你有印象没有？”

“去广州贩衣服？我记得你好像去过一次广州。”

“这事我也记得，可警察说那是第二年的事，在这之前咱们刚回北京不久我还去过一回，当然他们记得清，咱们得以他们的说法为准。”

“记不起来了，我就记得你在前门那个药店站柜台卖‘肤轻松’，什么时候去找你什么时候看见你和收款台的一个女孩儿逗贫——后来搞上手没有？你还一把一把地从药店往外偷避孕套逮谁塞谁，口称所有哥们儿你‘全管了’——你没怎么变？还是当年那副无赖样子。我刚才在二楼第一眼瞧见你时就想，这无赖，怎么还是这种样子？你就像这些年被冻在哪儿前两天才化开又上了街。”

高晋脸上出现我们重逢后的第一丝笑容，他的眼睛也亮起来，闪着快活、友好的光芒，他又像当年那个和我亲密无间的高晋了。我含笑说：

“我真是那种样子吗？我怎么记得当年我是个好孩子。”

“噢，你始终无赖得够呛，你大概生下来就是副厚脸皮。你花言巧语诱奸了多少姑娘，有时我真想检举你让你吃枪子。”

“你可跟过去大不一样了。”我笑着对高晋说，“高总，听着真肉麻，看你人模狗样颐指气使的样子我的心跳都快了。”

“我变了吗？”高晋整了整西服下摆坐下说，“我倒觉得我没变。我一直就是这个样子，好比这杯透明、无色的清水靠近红的东西就呈现红色靠近黑色就发暗。”

“BP机”又响了，高晋嘟嘟囔囔地站起来：“没办法，总有人找你，事情太多，在其位就得谋其政。”

“你不错，混到这份儿上。”高晋打完电话回来我对他说，“我倒想让人找可没人找，除了警察。”

“没劲。”高晋又给我叫了杯咖啡，加咖啡加糖替我用小匙搅拌着说，“我够了，从根儿上说我不是一个当官的人。我准备再干一年不干了，我宁肯当个无拘无束的人。”

“别别，你还是干，你还能升，你升上去我也可以去跟人牛×：谁谁晓得哇——咱哥们儿。有好位置咱们也先紧着咱们的孩子——谁干不是干？”

“BP机”又响了。

“我走了，你太忙，以后再聊。”

“我送送你。”

“不不，千万别送，我自己走挺好。”

“还是要送，你别急，等会儿，马上就完。”

高晋快步走到服务台打了个电话，女招待把收费单送来，高晋回来从西服内兜掏出一支按键圆珠笔签了个字让她拿走，起身和我并肩往外走。

我们路过一排排豪华商店和餐厅。一路上碰到饭店工作人员都恭敬地叫着“高总”和高晋打招呼，高晋也恢复了庄重、冷漠的表情。

“你还是应该找个工作，有份固定收入。你这么混下去到哪儿算一站，你也三十好几的人了。二十几岁浪荡浪荡没关系，三十几岁也勉强，四十、五十——那不成了老荒唐老叫花子。”

“我到你这儿当个服务员吧，低三下四我行。”

“我不要你，你岁数太大了。如果你真想工作……算了，我不管你了，你爱怎么着怎么着吧。”

“问你媳妇好。”到了门口，我和高晋握手告别，“哪天我去看你们。”

“认了地儿了以后就常来玩吧。”高晋说，“见着别人叫他们也来玩。”

“好的。”我出了门下了台阶站在空场上向门里招手。

“等等。”高晋出了门追上来，“关于高洋的事你还是认真点，别到时候公安局真把你当了凶手。”

“没事，到时候我就跟他们说那段时间我一直跟你在一起，你当我的证人。”

“你要能自圆其说你就那么说。”高晋笑着向我招手。

和高晋分手后我没再叫出租车，我决定给自己省些钱，反正我也没什么要紧事了。我顶风走了很远才找到一个公共汽车站。我对这一带不熟，几年前这儿还是一大片菜田。新盖的楼房看上去都差不多，楼群间的马路也一模一样没有路标很容易转向，就是这个公共汽车站牌标的路线我也陌生，站名不是“店”就是“坟”，一看就是往更远的郊外去。我想我还是打听打听别贸然上车。一个等车的妇女告诉我，这路车乘两站下来可以换另一路开往城里的，“想进城只能这么坐，附近没有别的车。”于是我便按她的指点辗转乘车。郊区车车少人多，车速也不高，等我进了城正赶上下班高峰，每辆公共汽车都挤满穿厚大衣的人，没劲儿根本别想挤上去。我站在昏暗、人群熙攘的街上困极了，只想找个地方睡一会儿，等下班高峰过了再继续走。我知道现在去张莉家不合适，但这一带我能想起的只有她。她一见我果然又吃惊又不安，说她丈夫马上就要回来。我涩着眼睛对她说："让他一会儿宰了我吧。"径自走进没开灯的卧室倒在床上就睡着了。我睡得很死，连张莉进来给我盖上毯子也不知道。我暖烘烘醒来时天已经完全黑了，屋里静悄悄的，我以为已是半夜，看看墙上夜明针在黑暗中"嗒嗒"走动的电子石英钟才知道睡了不到一小时。我起床来到外屋，张莉正和一个魁梧的男子对桌吃晚饭。看到我，那男子停止咀嚼和我打招呼，问我怎么睡了这么会儿就起来了，邀请我和他们"一起吃点"。"不啦。"我说我不吃这就走。"你行吗？"张莉问我，"你是不是病了？"我说没有，困的——绝不是病。张莉丈夫坚持留我吃晚饭，我婉言谢绝。"你这么盛情我下回就不敢来了。"张莉丈夫见我非要走就叫张莉送送我，关切地对我说："不行别硬撑着。"我说没事，就出了门。张莉送我到楼门口。在黑暗的楼梯上对我说："今天太不凑巧，要不明天你再来我下午补休。"我说再说吧，"我得闲给你打电话。"

街上人已稀少但地铁列车仍趟趟挤满人。我在一帮民工满车厢堆着的铺盖卷间找了个落脚的地方，一边打瞌睡一边想着刚才做的一个梦：我们在那个天井院子里坐着进餐，大家在笑在喝酒，还是那些人不过我的位置换了。我坐在乔乔的另一边而汪若海坐到了乔乔那一边，这样我对面就不是高晋和许逊而是高洋，高洋旁边也不是卓越而是一个陌生人。这个陌生人的脸罩在夺目的光晕中，只有颈以下的带条纹的高级衬衣历历在目，随着吞咽和大笑起伏着。在梦中我曾试图看清他的脸，但无论我怎样贴近去看，也只看到明亮的一团略呈人脸的轮廓——五官模糊。梦境是支离破碎、时空混乱的，像一部可以随时快进快退的录像磁带。我们从餐桌上起来，退回到餐馆门口眉飞色舞地大声争论要不要进这个阴森的餐馆；我们又退回到纵横交错的小巷子成群结伙地瞎逛，吃撒有巧克力碎末的因融化而软绵绵的蛋卷冰激凌。我发现这个阳光遮脸穿条纹衬衣的人从一开始就在我们一伙中，跟我们瞎逛，跟我们站在餐馆门口的水泥电线杆旁，一声不响却相当清晰、不容置疑地在每一个情景中在人群中牢牢占据一个显眼的位置。我们在满地绿苔的天井中的湿漉漉的铁桌旁就座时他就坐在我对面高洋旁边，处于一束明亮的光线中。我相信在梦中我们走进餐馆一度处于四周楼房阴影之中时我看清了他的面目，但此时怎么也回想不起来，在梦中那个明亮空洞如多层大戏台的餐馆正楼始终占据了相当庞大的空间，几乎挤掉了其他人、物的合理的位置，使他们在我视野中总是被遮挡、压缩、重叠，因而朦朦胧胧，人影不清。我越是仔细去想，梦境中的场面和人物越是模糊、淡褪，不合逻辑地交织在一起，像用沾满油的手从水里抓一条滑溜溜的鱼有力使不上眼睁睁地看着它从手里一点点滑掉消失在水里。最后这个梦境唯一给我留下的较鲜明的场面，就是高洋不停地对那个无脸人说着话，在他身后那个门窗洞开的楼阁犹如一只不动声色的巨眼或一个极度扩张的大口充斥空间。

我不知道这个梦在多大程度上反映了当时的真实情景。

三

回到家，吴胖子他们在玩牌，见到我就说："我媳妇回来了，所以我们这个党小组会挪到你这儿继续开。"他又指着一个大脸盘的陌生男人说，"这是我们新发展的党员。由于你经常缺席，无故不交纳党费，我们决定暂时停止你的组织生活。"

"你玩我让你。"大脸盘男人说。

"不不，不玩。"我说，"我服从组织决定。"

"你怎么啦？"刘会元问我，"你那样儿就像刚从茅坑爬出来。"

"我可能，"我往沙发上一倒，"我他妈可能成了杀人嫌疑犯。"

吴胖子把烟从嘴上拿开，看看牌又看看我："那你太幸福了，你用什么招儿把自己弄成了这么一个重要人物？"

"别装着受了重视的样子。"另一个人笑着说，"留着你那二两肉吧，你再舍得自己也没人尿你。"

我笑，"跟你们这帮傻 × 真没什么好说。"

"我们跟傻 × 也没什么好说的。"大伙儿笑，"不定怎么回事呢，准是自己挂着空挡顶风走了八里路铆足劲抡了个空。"

“噢，有两个人找你在隔壁屋。”刘会元说，“不是警察，估摸是‘明松’差来的那对宝贝儿，你不接人家，人自个杀来了。”

“你快去吧。”吴胖子说，“新娘子棒极了，嫩得就像刚抠出来的蛤蜊肉。”

“别来这套。”我笑着站起来，“我知道准没戏，要不你早苍蝇似的跟踪上去还在这儿坐着玩牌？”

我来到隔壁屋，那对新人忙站起来，倒还不是邋遢人，都有点南方式的细致，只是穿着做工考究的西服显得人有点傻，假装绅士。我和他们打哈哈，说我昨天去接他们的路上忽然晕倒了被好心人送到医院急救。我有癫痫病，什么时候发作我自己也不知道，所以很抱歉晒了他们干儿。男的说，没关系的。他们已经听打牌的那帮人说我犯病了他们不介意。他和明松是很好的朋友，所以明松介绍他们来找我说我也是他的好朋友，没说的还带了二斤月饼给我尝尝。我正饿拿起月饼就吃，一边问他们明松可好，可否发了财，他和他媳妇离了没有，孩子判给了谁。男的说明松很好，没有发财，他媳妇没跟他离，因为他们一直说结婚一直却没结；至于孩子你看见的可能是他弟弟。明松有个很小的弟弟，他从没养过成了人模样的孩子，他女友倒是做过几次流产。我咳嗽了一阵儿，说管他有没有孩子跟我也没关系，爱谁谁谁不是一个人也没关系。你们既然大老远来了无亲无故我就是你们的亲人。你说吧，你们要干什么！男的结巴起来说，他什么也不想干就想玩玩。昨天在车站没见着我，他们就到女的一个亲戚家里借了一晚上宿。那人家里地方很小一间屋半间炕。炕让给他们俩睡那人就生在地上站了一夜，“很不好意思很过意不去”。知道了。我说你要参观毛主席住过的地方我弄不着票。你们要想自个找个住的地方那太容易了，就在我家住吧！不管饭，打滚可以敞开儿打。

男人女人眉开眼笑剥开一块糖用手喂给我。咱别这样，这算怎么回事！什么礼节我不习惯受之有愧！打小就没被人这么宠过，你冷不丁这么热情我容易当成你要害我。糖没毒，我发誓这是喜糖从今往后咱们就是朋友了。我很乐意交你这个朋友，都是年轻人相处得来。以后我们那边有事一句话。“得嘞。”我挣脱出身子对那二位说，“你们那位朋友住哪儿？你们今晚就搬过来吧。”那二位又拉了阵呱儿笑眯眯地走了。

我回到打牌的屋里坐下傻笑着发愣，脑子短路忘了自己刚才盘算着要干什么。我问那几位爷，“我刚才要干吗来着？”他们围着“中段”啧出种种龌龊想头“单手扶墙”之类。我笑着脑筋一松想起要给个人打电话。电话铃响了半天，一个女人拿起电话问我是哪儿？我说是公安局。她说许逊在班上，电话怎么打家里来了。我挂了电话又往公安局打，值班的问我是哪儿？我说是许逊家里。许逊来接电话，听出是我立即叫我把电话挂了:“我现在忙，一会儿给你打回去。”过了片刻，许逊的电话打了回来，他显然换了部电话，声音又小又模糊。他告诉我在电话里他什么也不能对我讲，让我明天一早去他家一趟，“什么人也别带。”“有这么严重？”我还想开玩笑，他却立即把电话挂了。

可能我脸上显出那么点郁郁寡欢，玩牌的那几位都拿眼睛睃我。刘会元边出牌边问我:“怎么啦，什么事不痛快？”

“没事。”我挤出些笑说，“我自个跟自个过不去。”

“有什么事跟哥儿几个说说，”吴胖子叼着烟看着自己的牌说，“别闷着，越闷越糟。”

“真的没事。有事我也不当是事，咱谁呀？”

“不爱说,咱也别打听了。”刘会元挡住又要开口的吴胖子,“咱们玩咱们的。”

这时门上一阵响，我的脸登时白了。玩牌的几个看见我的脸色不禁面面相觑，问我是谁。

“不知道。”我说。

“不会是别人。肯定那俩宝贝儿又杀了回来。”

刘会元摔掉牌去开门，随着一阵喧哗，那对男女拎着大小箱包满面红扑扑地出现在屋门口：“我们搬来了。”

“来就来呗，弄那么大动静干吗。”然后我笑，站起来指点给他们住的屋，“那间屋暖和，怎么晾也作不下病。”

“噢，我给你介绍一下，这是我爱人的堂表姐李江云，昨天我们就是在她那里住的。”

“真漂亮。”我看着跟进来的那位端庄娴雅的女子说，“我要是你，我就宁肯跟她挤不搬这儿来。”

“他们很爱开玩笑的。”男的笑着说，“特风趣。”

“啊，这号人我见的比你多。”李江云微笑着说，“我们这儿所谓遍地都是。你安顿好了我就回去了，再有事再来找我。”

“我有事去找你行吗？”

“不行。”李江云笑着看着我摇头。

“你住哪儿呀？远吗？”刘会元问。

“不远，她就住你们隔条马路的院里。”男的说。

“那着什么急？坐会儿，认识你也不容易。”我往屋里让李江云，刘会元在门口堵着往里拥。

“云姐你还是回去吧。”女的看到这阵势，话里透出几分慌。

“她比你安全。”刘会元对女的说，“云姐见过，你看人笑得——从容。您留神自个，甭一个礼拜，就没你们那位原装爷什么事了——您快自个儿坚坚定定的吧。”

大家笑。男的对女的笑：“没事，大家聊聊，都是哥们儿。”

“噢，这种事我们可不论哥们儿，是不是方言？”

“没错。”我点点头，“爱谁谁。”

李江云落落大方地在大家的簇拥下进了屋，冲那几位扬着脸看她的男人含笑点头。刘会元给吴胖子他们介绍，腾座儿沏茶。

“李江云？”吴胖子撂下牌，吸着烟笑呵呵地望着李江云，“不太有名呵，没听说过。”

“你是谁呀？”李江云慢条斯理地说，“也属于没法儿让人听说的一类吧。”

“你听说过他吗？”吴胖子夹烟的手指我。

李江云扭脸看我：“他哪年上过公审布告？”“什么公审布告呀。”大家笑。吴胖子说：“我们这哥们儿是作家，你肯定看过他写的书，除了《毛选》中国数他的书印得多。”

“真的？”李江云再次扭脸看我，我矜持地垂下眼皮儿点头。

“你写过什么书？”新娘问我。

“甭说书名了。”吴胖子说，“我告你们他笔名你们就知道了——琼瑶。”

这个玩笑的效果总是特好，听过的也会再笑。大家笑我不笑，因为这个玩笑还没完，还有“包袱”要跟着抖。

“他不但写书还演戏拍电影，好几起。中国不太认，欧洲特有名。”

“演的谁呀？”那个傻乎乎的新娘又上了钩。

“青年高尔基和青年周树人——留胡子前的。”

“真的？”新娘新郎一起端详我，我抽烟，仰脸做肖像状。

“真挺像的。”

“他最近推出的新片是和捷克合拍的《鼹鼠的故事》。他演男主角。也是留胡子，以前的。”

大家一起放声笑。李江云笑着对懵了头的新娘说："还没明白，他们胡扯呢。"

"你结婚了吗？"吴胖子一本正经地问李江云。

"没有。"李江云笑着看看他，又看看我们，撇了下嘴。

"该结了。"吴胖子语重心长，"挺大年纪了，就说有几分姿色吧，也没几天了。"

"谢谢，我已经结了，不用你操心。"李江云笑。

"那就更好了。"吴胖子说，"那就该考虑找个情人了。婚已经结了，该尽的义务已经尽了，该排除其他顾虑找个光自己喜欢的人了。"

"你倒什么话都有的接。"

"本党的宗旨一贯是这样，你是本党党员本党就将你开除出去，你不是本党党员本党就将你发展进来——反正不能让你闲着。"

我尖声笑，笑得从椅子上滑下来单腿跪在地上。别人都看我。李江云对吴胖子说：

"你是不是以为我特想入你们的党？"

"噢，这点本党党章早有规定：不管你是否愿意加入本党，只要本党看你顺眼你就是本党党员——爱谁谁吧。"

"瞧他笑的。"李江云看我，"你们是不是可找到开心的人了？"

"不是不是。"我笑着站起来，"我是想起一个山东快书的段子：当哩个当，当哩个当，你先叫我入了你那个裆，我就叫你入了我这个党。一个支书对积极要求入党的女群众说的。"

说完我又笑成一团。

李江云问吴胖子："好笑吗？"

吴胖子摇摇头："不好笑。"

“我怎么觉得挺下流。”李江云说。

“那就对了。”吴胖子说，“我们已经提请地方司法部门对他予以刑事拘留处分。”

“对这种人这样倒是必要的。”

“不不，本党此举完全是下意识的，凡本党党员均要轮流蹲班房——为了活跃党内政治空气。”

李江云在我们的笑声中最终明白了自己的处境不可逆转，聪明地采取了含笑不语的姿态，任由吴胖子等自由表演，对一切不置可否，因而变得无懈可击。后来我们焦躁了，与其进行这种没有反应的谈话，不如自己玩牌，便把她轰走。“你该回了，在这儿待得太晚不好，我们名声都挺清白的。”

“你们一向是打不赢就撵别人走是吗？”她令人钦佩地保持着从容，“你们倒是能审时度势、不费踌躇。”

“你太聪明了，而我们不喜欢聪明的女人，聪明的女人主题不突出。”

“你们无非就是希望男人全是体操健将，女的全是海绵垫子，任你们驰骋。”

“吾未见好德者如好色者也。”

“走吧走吧。”我拿起李江云的围巾手套塞到她手里，“别再废话了。我们都是急性子，无利不起早，讲究的是空手套白狼。”

“走啦。”李江云穿戴好了，看我们一眼，似笑非笑地一路出去。

“别生气，只当咱们这辈子没见过面。”我关上门回来对那对还惶惶傻坐着的男女说，“你们也睡去吧，反正咱们也不睡在一起，别等了。”

“其实那老姑娘不错。”那对男女出去后，刘会元说。

“是不错，谁让咱爷们儿不喜欢呢？”吴胖子笑眯眯地问我，“哥哥帮你打了半天岔，舒坦点没有？”

“舒坦多了。”我笑。

我们开始玩牌，一边玩我一边看着书架旁挂钩上挂着的一个银灰色的合成革女式挎包，挎包上落满灰尘，原本有荧光效果的革面也变得黯淡，这个柔软挎包的式样很多年前曾经流行一时。我们都打得很浪，一“吊”没有直接叽“百子”，只有我有命，每次都是“艳”底，求什么调什么，一路剃下去，胡打胡有理。这绝非好兆头，牌上不落其他地方总要落，这是百试不爽、颠扑不破的规律。那天夜里我接了个电话，电话里是个女人，她对我说一个叫凌瑜的女人不行了，住在医院，她的红斑狼疮已经到了晚期，想见我一面。我想了半天也没想起凌瑜是谁。电话里的女人问我能不能去？我说不行。我明天一早就要去美国，机票已经买好了，非常抱歉。对方沉默了片刻便把电话挂了。后来，我在牌上异乎寻常的好运逆转了。

四

我去许逊家的路上拐了趟儿童医院，把正在给一群小胖子发药的金燕叫了出来，让她请假跟我去一个电影导演家，那个导演正在为自己的一部描写奋发向上女青年的片子选演员。到那儿你别说话。我对金燕说导演是个特深沉的人而你比较浅薄，一张嘴肯定要让导演失望。“反正他片子里的女主角是个哑巴，一句台词没有，全是深沉的凝望。”

到了许逊家我对他介绍金燕说这是我的一个外国朋友，一句中国话不会说。不必多礼，对她只要客气点头微笑再沏上一杯中国茶就可以了。许逊正和他的小媳妇坐在两面高大的褐色组合柜之间鬼鬼祟祟地说着话，看到我们，点头微笑地站起来。

“怎么把外国人都搞了进来？”许逊怀疑地看着金燕。“她的打扮这么时中国的髦，你要不说我还以为她是街上的‘喇’呢。”

“不是什么很发达的国家。”我坐下说，“肉孜国，那儿的人穿不穿衣裳肉都呲出来，因而得名。”

“噢，这样的。”许逊瞪着我，“怪不得。”

“找盘带给我们这位外宾看看。”我拍着嵌在组合柜里的录像机说，“别让外宾闲着。”

“没好带，”许逊说，“全是武打。”

“武打就武打吧，她们国家没这个。”

许逊找盘带装上，打开电视，屋里立刻响起秃子打架使劲发出嘿嘿声一片喧闹。许逊小媳妇端了两杯茶进来放在茶几上，笑模笑样地问我：

“你杀人了？”

“哎，”我说，“你也知道了。”

“怎么回事？”她感兴趣地问，“干吗杀？”

“图财呗！”我说，“这年头还会为什么？我又不打江山。”

“太棒了。”小媳妇钦佩地望着我，“一大笔是吗？”

“一大笔，要不也犯不上。”

“对，要干就干个狠的。”小媳妇瞟瞟许逊。“你就没这个胆。”

“去你的吧，你懂什么？”许逊轰他媳妇，“一边待着去，别这儿瞎掺和。”

小媳妇白许逊一眼，噘着嘴走开坐到一边津津有味地看起录像。

“叫你别带人你还偏带人。”在和尚们的嚣叫声中许逊抱怨我，“你是唯恐没人作干证。”

“这不是个‘托儿’吗。”我说，“我现在一举一动都得预备下交代，万一叫哪只眼睛看见，与其瞪眼不承认找过你不如说是找你‘借地儿’。”

“这么说，他们已经找过你了？”

“没找你吗？瞧，我早发现了，甭管干什么，多少人，最后倒霉的总是我，你们全没事。”

"你怎么知道我没事？"许逊看着我，"我抓瞎时你还不知道在哪儿乐呢。"

"这么说找过了。找过你还找我，看来是你解脱了雷，顶在我头上了。"

"我什么也不能跟你说。"许逊细声细气地对我说，"这里夹着别人，别人给我过话全顶着雷，我告诉你传出去就卖了一批人，我也完了。"

"我不打听细节，我就想知道现在到了哪一步，是不是说话就收审了？你就告我一个字，我也有个数。"

"就这个字没法说，人家也没告诉我。"

"你是不是也认为我杀了高洋？"我推心置腹地对许逊说，"可能吗？我杀他干吗？我怎么回事你不清楚？这世上谁值得我一杀？"

"你跟我说没有用，这事要是我领衔，就是你杀的，我也只当你没杀。"

"别你大爷了。"我直起腰摸烟，看了眼坐在另一头看录像的金燕。她扭脸看过来，我冲她一笑，点上烟回头压低声音对许逊："别你大爷了。我不知道你？别瞅你穿身香蕉皮，我干得出来的，你什么干不出来？"

"你志愿去给少先队员当活着的雷锋叔叔这事我就干不出来。"

"得得，咱这辈子就干过这么一件丢人的事，露脸的时候也有。"

许逊叼上一支烟，我把我的烟倒过来递给他对火，点着后又叼在嘴里。"说正经的。"我笑着对许逊说，"警察也没说人非是我杀的对不对？可以怀疑的人多了，譬如你，手那么黑，我要是警察我就先怀疑你；小时候咱们玩杀人的游戏你就爱当凶手，天生一副歹徒的模样逼你当警察都不干。”

“你没跟警察说吧。”许逊笑着说，“我知道你一向义气。”

“我不义气，”我笑，“我已经说了，这种关头不是你死就是我活。”

我们笑。许逊媳妇和金燕都往这边看。

“你说咱们这么正派的人招谁惹谁了？救人的事常有，杀人哪会？生是一顿饭吃出了毛病，早知道我就扎着脖儿过。你是不是也跟警察说咱们最后一次见高洋是那次一起吃饭？”

“是。”许逊说，“那是我最后一次见到高洋。”

“什么叫‘你’最后一次见他——‘咱们’最后一次见他。”

许逊闭着嘴微笑，慢悠悠地抽烟。

“怎么不是‘咱们’？”我提醒许逊，“高洋没吃完饭就先走了，咱们又过了会儿才一起离开去动物园看猴子。在动物园咱们还和几个东北人打了一架。你喝多了招人家以为人家一个人，结果人家是一伙都带着刀子一围上来咱们全傻了——你丫先撒腿跑。”

许逊笑。“先撒腿跑的是你，招事的也是你，你一贯喝了酒就招事还总占不着便宜；哥们儿陪着你挨了多少砖块，从小到大你还说什么。”许逊收住笑，“咱们之间再互相蒙就没劲了，也没什么意思——那是另一次饭后。那次，最后一次和高洋吃饭后，我们走的时候没你。”

“怎么没我？”我笑着问，“我去哪儿了？难道和高洋一起走了，拐弯就把他头剁了下来？”

“你去哪儿跟谁走干什么我不知道。”许逊心平气和地说，“反正你没跟我们一起走，从饭馆出来就我们五个：高晋、汪若海、夏红、乔乔和我。我们一直沿街逛，在摊儿群里串，后来他们四个把我甩了。我记得很清楚我单拨儿一个在路边游戏摊上打气枪，把挂在白布上的一排排彩色气球逐一打瘪——确实没你。”

“不可能没我，”我盯着天花板说，“不可能没我。那天咱们八个人一起去吃饭……”

“七个。”许逊打断我。“咱们七个去吃饭，你、我、二高、汪和那俩女的，还有……噢，是八个，怎么是八个？”

“还有谁？你说‘还有’谁？”

“不认识，一个我不认识的人。”

“穿条格衬衫？”

“好像是。”

“那就对了，我也一直想不起第八个是谁，老以为是卓越……”我看着许逊笑，“那会儿卓越刚死，没习惯，老觉着他还活着还和咱们在一起。”

“别解释。”许逊说，“我也一样。”

“你这么说，等于把我害了。”屏幕上秃子和长发人之间的厮打结束了，人物定格，吼叫声被一只广东歌替代，在闷声闷气的歌声中一排演员名字升起来。

“我不说你以为就没别人说？”许逊看着我，“你以为他们第一个找的我吗？况且，单凭这一点谁也不能怎么样你，你没跟我们走，也未必就是跟高洋走。这只是线的一端，除非你也在线的另一端出现，否则这根线也拎不起来。”

“我在线的另一端出现了吗？”

“这得问你自己，你还不知道？”

“出现了。”我笑着说，“但不是你们给我画的高洋的平行线，而是切线，两条线的夹角起码有九十度，高洋往西南我往正北和你们一样；你要说北京当时有个强奸案啥的我倒在现场。”

“那后来呢？你没在中国版图上再画个对角线？”

“我就知道你要提那七天的事。”我笑，“那七天我的确是想不起干吗了，但有一条我可以肯定，我没去过云南，从来没去过，不管是不是那七天。”

“何必呢？何必呢？”许逊说，“你骗我好骗，我也不较真儿，但别人信吗？实话说，有人看见你了，和高洋在一起在昆明，而且，你是不是以为所有宾馆旅店的住宿登记簿都隔几年一销？”

“谁看见我了？”

“你看见谁了？”

“我看见我后脑勺了。”

“算了算了。”许逊直起腰说，“咱俩争个什么，又不是你我的事弄得跟审讯反审讯似的。你爱看见谁看见谁跟我没关系。”

这时，电视里已换成电视台重播的一台文艺晚会。大大小小的影视歌星们正在向一个著名的外国影星献媚，或唱或跳或一躬到地几乎把脸从两腿间反探出去看见自己的屁股。金燕看着这伙男女向我苦笑，因为其中有几个原本是她喜欢的。

“就没人告诉她们这样特傻吗？”

“你还指望这帮人有脑子？”许逊媳妇嚷着说，“咦，你会说中国话？”

“中国人不会说中国话。”我“喊”了一声，接着反应过来，笑着说，“得，这幌儿也戳穿了。我现在这技术也退步，撒个谎都撒不圆了，自个先忘了，没劲没劲。”

“就跟我们谁信了似的。”许逊笑着说，“别跟我们这儿抖机灵，论撒谎在座的全是你老师。”

“所以你知道我没撒谎，我说没杀高洋那就是没杀。”

“杀就杀了吧。”许逊媳妇说，“干吗又不敢承认，你太让我失望了。”

“我说你媳妇怎么这么心宽？”我对许逊说，“既然她不在乎，是不是这雷咱就搁你脑门上。干脆这功我就让给你吧。”我对许逊媳妇说，“人算你杀的你领奖金。”现在的女人，不得了。

“你老瞎打什么岔？”许逊说他媳妇，“想死招儿多了，我帮你，咱家有绳有药，那死得也体面。”

“我现在想啊。”我对许逊说，“既然我肯定没在那七天去杀人，那就一定是去救人了。”

许逊白我一眼。我笑着说：“反正我总不会是一人跑到什么悬崖边去读书去沉思鸟瞰大地，我好像还不是那种特哲学特使命的人。”

“你不是，你即便是到了悬崖边也不是为了救人类而是要冲下撒尿。”

“你说得也太不堪了，不过，方言倒总是和群众在一起，像鱼儿离不开水。”

“这话得这么说，方言总是和女群众在一起，像鱼离不开水。”

“像我这人。”我笑着说，“那么说，我也同意我那七天如果真是去了哪儿，那就去了一个女人那里。”

“可能。”许逊笑着说，“能拴住你七天不露面的我看也只有女人，就像要拴住一条狗光用链子它还老叫上蹿下跳，还得有根骨头它才不吭声。”

“那会儿追我的女的是不是特多？你帮我想想，哪个追我追得最厉害，扛着铺盖卷要跟我归堆儿。”

“没见过这号的。光见你扛着铺盖卷大街上站着东瞅西瞅没人搭理你。”

“得了吧，我那会多有魅力呀，那会儿没阿兰·德龙，大家全看我。”

“是吗？”许逊扭头问他媳妇。

“没觉得。”许逊媳妇瞟我一眼，“那会儿我们全看孙悟空。”

“哇，我有那么惨吗？金燕，金燕你给说句公道话，当时你们医院全体医护人员怎么为我拼的刀子。”

“你的确那么惨。”金燕笑着说，“当时我们大都觉着你特可怜，救死扶伤嘛，又是儿童医院不能不管，干脆拼刀子吧！谁输了谁倒霉，我拼输了所以我倒霉了。”

“暗无天日暗无天日。”我对许逊说，“我觉得嘛，当时能让我看上的女人，肯定得具备这样的条件：貌赛天仙，腰缠万贯，学贯中西，温柔贤良——我手相上就是这么写的。”

“你说的这人，有——还没生下来呢。”

五

我从许逊家吃过午饭出来，把金燕打发走了，然后在路边公用电话亭给汪若海打了个电话，他妈说他一大早就出去了至今没回来。我挂了电话，往前走进一个地铁站。中午，地铁站里乘客不多，我独自在站台的休息椅上坐了很长时间，确信整个站台除了我和服务员没有两边来车都不上的闲人，才乘上一趟列车回家。我知道我有点瞎耽误工夫，我倒不是天真地想甩什么盯梢的，我知道公安局的法力无边，要叫他们黑上了，那就是天罗地网。我只是想判断一下局势，如果他们现在没跟我，那说明我还能活几天。

我在我家那站地铁下了车，一下车就看见站台对面一张椅子上坐着一个男人在望着我。我站住朝他笑，他也露出笑容，站起来大步穿过人流向我走来。

“等我哪？”

“等你一上午了。”我们一起往站外走，汪若海说，“你去哪儿了？”

“一个饭庄开业，让我给题词。”

“噢，你现在学会写字了。”汪若海没注意到我在开玩笑皱着眉头说。

“咱多少年没见面了？”我歪头看着汪若海说，“我还以为你已经烂在狱里了呢？”

“刚上来。”汪若海勉强笑。他已经不是我熟悉的那个嘻嘻哈哈的汪若海，长时间的服刑使他变得相当苍老，精神也很委靡。当我们从地铁站上来走在街上时，我看到他对嘈杂的人群和车流露出不惯和惊惧，这使他步态僵硬。

“你知道吗？高洋死了？”在路上，他急促地问我。

“不知道啊。”我说，“怎么死的？自个把自个拳头吞下去了？”

“公安局没找你？”

“没有。”我说，“这事我一点没听说。”

“被人杀死的。”汪若海说，“他们昨天来找我了，主要是打听你，问咱们刚复员那会儿的事，说是那时候出的事。”

“这意思是哥们儿把他杀了。”我边上楼边掏钥匙。

“有这意思。”汪若海跟在我后面，边上楼边说，“我对他们说他们一定搞错了。”

“怎么讲？”我停下用钥匙开门，打开门请汪若海进去。家静悄悄的没动静，那对男女大概出去了。电话铃在响，我不接也就沉寂了，“那么说你知道是谁干的？”

“那倒不是。”汪若海坐下环视着屋内陈设说，“你家倒还是老样子。”然后看着我，“那倒不是，你不具备那种素质，我是指杀伐果断豁得出去不计后果的鲁劲儿。别人杀你倒可能，你不会去杀别人，不管把你逼到什么份儿上……杀人也需要一种气概。”

我笑，在汪若海对面坐下：“你是不是太小看我了。”

汪若海惊诧地望着我："你以为这是好玩事吗？这风头你还是别争着出吧。"

我递给汪若海一支烟，自己点上一支，得意洋洋地说："可现在看来，只有我有机会杀高洋，在咱们这伙里。"

汪若海笑了，挺有趣地看着我："你真是变了，看来我关了这么多年是被关傻了。怎么着？现在杀人是时髦了？"

"你怎么就知道我杀不了人？"

"噢，自尊心还是那么强。"汪若海看看别处，又掉回头看我，"那么你为什么杀他呀？"

"钱呗。"我笑着说，"我想不出别的更好的理由了。"

汪若海犹疑地看着我，半天没说话。"你都知道了？"他问我。

我点点头，含笑不语。

汪若海皱着眉头审视我，片刻，试探地说："你在开玩笑对吗？"

我绷不住，乐了："我怎么可能知道？我知道什么？我就记得我跟你们去了趟南边，玩得挺开心，可突然事过十年有人来对我说我当时杀了个人！我都傻了，我根本想不起当时的事了。就是有人说我篡党夺权我也只好认了。"

"你真的想不起来当时咱们都干了些什么？"汪若海明显松了口气，"一点都想不起来？"

"我只记得咱们当时在吃在喝在搞女人，后来烟消云散，高洋走了你们走了我也走了。"

"是这样。"汪若海笑着说，"咱们当时也就是奢了一炮，这个我们可以互相作证。"

"但我又想。"我看着汪若海说，"也许这吃呀喝呀只是一种表面现象，也许在这些表面现象的遮掩下我们还干了些别的什么，我们其实干的不止是吃喝。警察有一句话问得好，'你们当时的钱是哪儿来的？’是啊，咱们都是穷光蛋，怎么突然阔气了起来？据我所知，咱们刚到南方时每人兜里也就是那一点复员费。”

“这么说警察找过你。”

“找过。”我使劲点头，“我这么大的嫌疑犯他们能不来找吗？找是轻的，不定哪天李玉和的手铐脚镣就戴我身上了。还有……”

我站起来，把书架旁挂着的那个银灰色的合成革女式挎包摘下来，倒出里面的化妆盒、镜子、卫生纸和发夹等其他零碎。

“这包是哪儿来的？挂我这儿有十年了。毫无疑问这是个女人的，可她人呢？为什么把包扔在这儿人却不见了？不瞒你说，这包里原来还有一些钱，被我花了。”我坐下来，“这女人是谁？我一点也想不起来，既想不起她的模样又想不起她是怎么把包留在这儿的。应该曾经和我关系很密切，可我问过所有认识的女人她们都说包不是她们的。总不至于是抢来的吧？”

“别把自己往坏处想。”汪若海说，“你不想别人已经常常把你当坏人了。”

“这个包总叫我感觉和过去的什么难以告人的事连着。”我看着桌上的包说，“一看到这个包我就感到惶惑不安，就像笼罩在雾里，自己也看不清自己的面目了，自己也闹不清自己从前干过什么了。”

我盯着汪若海：“你说呢？当时我们到底还干了些什么？是不是仅仅吃了一些蛇，喝了一些酒精？”

“我是这样而你不是。”汪若海笑着说，“你还干了些别的，你主要是在干别的？”

“是刑法规定不许干的那些事的哪一种？”

“谈恋爱。”汪若海笑，“可以按流氓罪类推予以惩处的那种。当时你在谈恋爱，爱得死去活来，每天早出晚归自言自语爱得脸蛋红扑扑的，还一个劲儿向我们保密赌咒发誓只是玩玩，其实是动了情全当别人是傻子。”

“我还有这事呢？”我脸红地笑。

“你有，而且你还特古典，每天写情书什么的，经常提一些天上的星星人间万物之类的借物咏志，那美好的抒情能麻死个人。”

“惭愧惭愧。”我笑着问汪若海，“那女的是谁？是不是绝代佳人？”

“女的说实在也就家常。”汪若海说，“实在不怎么的，也不知你看上她哪点了？当时我们觉得你可能是在革命洪炉中素狠了，不忌油腻，更细的我也说不上来，因为你老躲着不让我们见她。那时你纯洁，我不好意思，而且你还挺拿这当事，我们开你几句玩笑你时不时犯急。我只记得那女的老背一个灰包，是不是这个不好说。当时这种包俏，差不多是个女的就背一个。”

“你这么一说，我好像有点印象。”我笑着说，“那会儿好像是有一个女的老跟在我屁股后边。”

“你说反了吧？”

“甭管谁跟谁了吧，反正我记得那女的没你说的那么惨，有几分姿色，不光我，你们全跟狼似的追着人家。”

“我们全跟见了狼似的躲着她。”

“别客气别客气。”我兴奋地说，“我好像想起来了。”我掀开化妆盒，拿出一只口红，从桌上拽过来一张报纸，潦草地画了个女人嘴脸，举起给汪若海看，“是不是这型的，额头比较高，嘴比较大，眼睛有一人多深。”

“你搞错了。”汪若海平静地说，“你那个‘情儿’和这正相反，是个比较扁平的华人。”

“没错。”我扬手把纸一扔，“这我比你清楚。漂亮，侦破改言情了——你知不知道后来我们为什么，嗯，分手了？”

“不知道。”汪若海闷闷不乐地说，“我认为你们从来就没好过。”

“不可能，肯定是我把她甩了。我越发地想起来了，那姑娘是挺迷人，我干吗把她甩了呢？年轻时净干傻事。你还记得她叫什么住哪儿？”

“干吗？”汪若海吓了一跳，“你还打算找她？”

“嗯，”我一本正经地说，“一来我们两口子叙叙旧感慨感慨；二来没准她能说得出我那七天在哪儿？十有八九我是跟她在一起。你不是说我当时特爱她吗？”

“我可没说你爱她，我是说你爱你的扁平疣。”

“谁的扁平疣？你这么称呼我爱人我可不高兴。说吧，你还记不记得她叫什么？”

“不知道。”汪若海说，“一概不知——真的不知道，不蒙你。”

这时，门一声响，那对男女风尘仆仆地外出回来。他们见我在家又进来客气一番，我也客气地对他们说这是在我自己家咱们每天见面就不用老请安了。北京人也不全是旗人。那对男女自去梳洗歇息后，我和汪若海又说起高洋的事，提到最后一次吃饭，汪若海说：

“你当时饭后确实没跟我们一起走，这点我和许逊的记忆一样。我总记得咱们那次吃饭是七个人，可你说的有个穿条格衬衫的人我也有印象，他老跟咱们在一起，好像是高洋带来的，后来就不见了。这人挺阴的，跟谁都不太说话。你在药店上班那会儿那七天去了哪儿？说实话，我不清楚也可能哪儿也没去扎一娘儿们窝儿里闷了七天，但也的确有人说那阵儿在昆明一个什么饭店登记住宿时看到你和高洋的名字。她去你们住的房间找过你们，见着了高洋没见到你。说你成心躲着不见她，明明卫生间里有人，高洋却骗她你上街了。她挺生气,跟我说时还带着气。说你顶没劲，好像特怕全世界的女的一见你就要跟你结婚，其实全世界的女的除了中国农村的柴火妞儿和非洲的土著妇女外没人想和你结婚。”

我笑:“乔乔现在还在老地方卖糕点吗？”

“不知道。”汪若海说,“我这么多年与世隔绝早不知谁是谁了。我最后一次听见她声儿是在‘炮局’，她在隔壁预审室里嚷，假装受了冤枉。听说公安局早想收拾她找不着茬儿，逮着一件小事把她教养了。”

“教养的话，这么些年也该出来了。”

“谁知道她有没有接着犯事。反正我是没她消息。这种人我也是不敢沾了，就是大街上碰见我也避远远的。”

“我问你。”我笑嘻嘻地又递给汪若海一支烟，“当年你是怎么折的？大家都说你入室抢劫，也有人说你倒红宝石，到底是怎么回事？”

“这事说起来我也够冤的。”汪若海笑笑说，“哪来的入室抢劫呀更甭说红宝石了，有红宝石我自个还留着呢。我就是到一个认识的港客房里聊天，临走顺了他一皮包，没想到正赶上宾馆清查，都走出走廊了被人堵了回来。包里就区区几千港币耽误了我八年。正赶上打击，也他妈不讲理，胡判，我最近正准备找他们给我平反呢。”

“我听人家可不是这么说的。”我笑着看着汪若海，“说你拿着颗大个红宝石满世界晃人，被连人带物一齐擒住。那红宝石是国宝，原来镶在你奶奶的缎子小鞋上，你奶奶是宫女，你爷爷是太监，民国初年两口子私奔时从宫里盗出来的。”

“别扯淡了，我爷爷是太监有我吗？”

“真的真的，你爷爷要不是太监就是清朝的八三四一。人家说要不也判不了你那么重，关键你太黑心，卖石头就卖石头还搭鞋，说你奶奶那小臭鞋也是文物张口要一万。国家特生气，嫌你给国家丢份儿，全世界也没这么下作的倒爷，那小臭鞋要让洋人摆进博物馆咱全体炎黄子孙脸上都没光。你犯的是危害民国罪，台湾逮着你也得判。”

汪若海笑：“你这么些年就练嘴皮子了吧？”

“还有一颗呢？你奶奶有两只脚，石头也应该有两块，咱们天朝不是一向讲究个对称嘛。”

“还有三颗，我奶奶是四只脚。”

夜里，我在灯下摆弄着那只灰色挎包里的物件。我试着把夹子往头上别，头发太短，夹子一次次滑下来。我打开化妆盒，走到穿衣镜前往自己脸上化妆。我把眼圈四周涂满青蓝色的眼影，使自己的眼睛像熊猫似的深邃，我又将鼻翼两侧搽了些深红然后用口红勾勒了一张大大的嘴。我对着镜子笑了像蚌开壳，如此照猫画虎我对我的意中人的形象更有把握了。我坐下找出旧通讯录翻看。通讯录上每页都密密麻麻写着各色人名和电话号码。有些人名我还能依稀想起是我什么时期的朋友长得什么样子，相当部分我已经毫无印象了，我简直一点都想不起这些电话号码后面的人和我曾有过什么关系。我想那个女人肯定隐藏在这片人名里，只是我无法将她辨认出来。这些大量的小力、小明是那么中庸、千人一面，我甚至连其中谁男谁女都无法断定。那夜我睡得极不踏实，梦境纷至沓来。我梦见我和很多不认识的人吃饭谈笑和一个面目模糊的女人交欢，动作极不连贯，感觉潮湿灼热如身入沸水又如凌空虚无。无论我在干什么，总有一个穿条格衬衫的人在我视线之内，手上戴着一颗大如鹅卵的红宝石。有一片刻，高洋也出现了，栩栩如生，谈笑挥洒，我在梦中并没有觉得他是死人，心情豁然开朗。

六

一个穿黑皮大衣的男人站在街对过的邮局门里，隔着玻璃凝视我，玻璃上印映着街上的车流人群，他大概以为我看不着他。我拐过一个街口，这个男人的脸又印在一家服装店的玻璃门上。无论我走进哪条街，那一排排商店的明晃晃的玻璃门窗上总有一扇中浮现着这个男人的脸，犹如一张到处张贴的电影海报。现在公安局用的人也全是流氓打扮了。我想，要说时髦，公安局的便衣最赶时髦。我走进一家食品店，堵着门口的柜台站着，那男人的脸在对面餐馆的玻璃窗上显影、放大、双眼熠熠放光，隔着马路投射到我身上，我如同在探照灯的照耀下被人洞悉。我侧过身子用后背挡住那目光，小声地叫："师傅，师傅。"一个年轻女售货员眼睛瞟地走过来，手里拿着钢夹子。"要什么？""跟您打听个人，乔乔还在这儿不？""什么乔乔？"女售货员白眼瞧我，扭身走开，"没这人。""您等等您等等，她不叫乔乔，姓乔，叫什么我忘了，原先也是卖糕点的。""我们这儿就没姓乔的。"女售货员远远地扔过一句，开始给一个中年人称"糖耳朵"，再不看我。

我走出食品店，背负那张庞大的无处不在的脸的沉重的视线慢慢往前走。一辆通道式大型公共汽车驶过，暂时遮断了那视线，我急忙钻进路边的药店。进店我就向柜台里微笑，那张幻象般的大脸变成一个穿黑皮大衣的男人匆匆冲过马路，在一间间商店门道上踌躇。一个女店员迎上来问我买什么，我说不买什么，继续微笑。女店员一侧脸看到笑着迎上来的张莉，知趣地走开。

“你怎么来了？”张莉问。

“来看看你。”

“得了，准是有事，我们这儿各种鞭丸鞭酒全部脱销。”

“透着中国人民生活水平高了，集体肾虚。”穿黑皮大衣的男人向药店走来，我对张莉说，“到你们后边谈谈行吗？”

“来吧。”张莉向后走去。

我连忙绕进柜台，在穿黑皮大衣人进门之前消逝在柜台后的门帘里。

我在药店后面的休息室里坐着，喝着茶，又暖和又惬意。张莉笑着，悄悄摸了摸我冰凉的手：“你最近干吗呢？东奔西跑的。”

“我杀了个人，公安局正逮我呢。”

“瞎说。”张莉笑，“你哪有胆儿杀人。”

“还是我们张莉了解我。”我笑，低头喝了口茶，“问你件事，你记不记得咱们在前门药店上班那会儿我每天都干什么？”

“怎么想起问这个？你能干什么？每天上班来除了贫还是贫，要不就打电话。”

“你记得我常给谁打电话？”

“怎么啦？出了什么事？”

“你别管。你就告我你印象里那时我跟谁来往最多，谁老来药店找我？”

“找你人多了。那会儿什么坏蛋不来找你？我怎么记得谁老来，我又不认识他们。”

“多是多，可总有最常来的。你会一点印象没有？那会儿你不是挺盯着我，找我的人你老替我打发。”

“谁呀？我怎么那么爱管你的闲事？觉得自己怪不错的。”

“真的真的。”我看四下没人，鬼鬼祟祟地摸了张莉一下，“你肯定有印象。”

“让人看见。”张莉躲了躲我，四处望望，低头待了会儿，抬脸冲我一笑，“我记得那会儿你老给一个女的打电话。”

“谁？叫什么名字？”

“姓刘吧。”张莉眼睛看着别处，“叫什么我忘了。你那会儿一天给她打好几次，一打就聊个没完，那腻——你怎么会不记得？别装了，你是不是还打算重叙旧好？”

“隔这么多年还醋那？”

“别碰我，这是在单位，尊重点。谁醋她呀。长得跟河马似的，我是替你难为情，迷上这么个东西。”

“你见过她？她来过咱们药店？”

“你是不是打算再去找她？”

“是！他妈的你管得着吗！对不起对不起，我没那意思别生气千万别生气，你在哪儿见过她？告诉我求求你。”

“你对我总是这样，用着了甜言蜜语下跪都行，用不着正眼都不瞧一眼。”张莉很伤心，“我早看透你了。”

“没那意思。”我抚慰她，“我，你还不知道嘛，出口伤人那都是无意的——自卑。”

“得了，你也不用装花尾巴狗。”张莉蛮善良地说，“好马不吃回头草，你真想正正经经找个人，我倒认识一个不错的姑娘，家里是高干，三间大北房。”

“你都拧哪儿去了，人家说前门楼子你说机枪头子。我不是找对象，找对象我就找你了，可天下也找不出第二个比你好的。我是要写回忆录，没听报上见天叹息，老同志死一个少一个，要抓紧帮助他们把自己的经历整理出来，他们的一生是和我们整个革命斗争史密不可分的，对教育青年人帮助他们认识历史有不可替代的作用。”

“我多爱你。”

从药店后门出来，一条条整洁的小胡同里行人稀少，阳光洒在一座座四合院的房脊上，空气干冷清冽。我缩脖袖手地慢慢走着，很满意自己知道了这个女人的姓。“长得跟河马似的。”刨去张莉感情用事的诬蔑不实成分，显然是说这个女人的嘴比较大，嘴大就对了。一个个大嘴女人的头像从我脑中闪过：露出全部三十二颗牙的，紧抿嘴笑不露齿仍如在面部横切一刀的，遮住上牙遮不住下牙的……想来想去留下的还是她。我顺着长长的胡同走到另一片街区，这是全城保留最完整的老市区。街道狭窄，沿街是一家家小店铺和住家改建的个体小饭馆。菜站的汽车正停在马路边卸菜，行人车辆缓缓绕行。胡同里的旧民房中间夹杂着不同年代盖的洋楼、简易楼和红砖公寓楼，不时走上一段便可看见钉着铭牌的旧王府和当年富贾巨商建的大宅院。这些府邸宅院保存完好加修了车库，院门紧闭院内大树繁茂住着当今的各种高官名流。张莉告诉我十年前的一个夏天的傍晚，她骑车从这一带路过，看到我和“河马”穿着拖鞋手挽着手从某条胡同出来，也就是说当年我和河马是在这一带鬼混。这个城市我太熟悉了，几十年来我跑遍了它的每一处角落，它的单调、重复、千篇一律就像澡堂里的裸体人群大同小异难以区分。每一片街区都令我感到似曾相识，而且我也的确和居住在每一片街区里的人中的几位有过这样那样的来往。我根本记不清我曾为了什么目的来过哪片街区。我在所有胡同都住过，最多的时候我曾和一打人挤住在一间屋里，当然不全是女的。我在一条条胡同里徘徊，看着一扇扇或开或闭或掩的门，想象着哪扇门里住着那个女人。我蛮想拎只锣当街筛一通，让门里的居民都站出来亮亮他们的神头鬼脸。我既好奇又茫然，这些门里居然关着我过去的一段生活，我应该推开哪扇门才能把它们释放出来？我有强烈的感觉，我在这些沉浸在阳光中的院落里遗失了什么，像遗留在屋里的烟味，看不见嗅得到；像人坐过的沙发，人虽去温犹存。

我在街角的小铺子里喝豆粥，吃馅饼，小碟蘸着醋，看着窗外马路上的行人。身上的温度嘴里的滋味眼中的景象这一切使我感到从前有段日子我经常坐在这个座位上吃同样的东西——在同一角度看同样街景。

我掏出旧通讯录，浏览着上面姓刘的人名包括和刘谐音的牛和尤。我没法把范围缩得更小，如前所述中国人的姓名越来越讲究意味深长而往往忽视标明性别，倒不光是姓刘的如此。我挑出一个我喜欢的名字。

这是个栽着枣树的普通四合院，自搭的小房使院子只留有几条通往各家门口的夹道。裹着白泥麻刀的水管子周围结着厚厚的冰，各家屋檐下挂着蒜辫堆着蜂窝煤晒着白菜。当年我就是在这个院里进进出出。我站在院当间儿感慨，带着我的欢乐和愉悦（我想我当年一定是欢乐的）。这一切多陌生又多熟悉，我几乎已经思想起住这院里的刘小力是个多可爱的姑娘，一嘴京片子，穿着小花袄，身材窈窕，一笑银铃般的清脆——我那时那么迷她，一天打好几次电话。我上了正房台阶敲那挂着钩花窗帘的玻璃门。一个穿小花袄身材窈窕的姑娘开了门笑盈盈地望着我，我也微笑……接着，我觉得不对，这姑娘倒是如我所想可是太年轻了，除非这是十年前否则再退十年她理当还穿开裆裤。姑娘笑着告诉我刘小力住西屋，接着站在台阶上喊："刘哥，刘哥，有人找你。"

刘哥，我听着这辈，知道差了。西屋房里钻出个长发矮汉子，手拿拉着粘儿的鸡蛋壳，直眉瞪眼看我。

"我是…我……"我疾步上去，满脸堆笑，嘴里却不知说什么好。

"噢，是你呀。"矮汉子仰天笑了一声，招呼我，"来吧来吧，你怎么摸这儿来了吃了吗？"

"吃过了，我吃过了。"我边进屋边连声说，"您吃您的。我路过这儿，进来看看，老没来不知你还在不在。"

屋里一个小巧玲珑的老太太机灵鬼似的看着我。

"这是我同学，妈。"矮汉子对老太太说，"人现在是大官了，团长，军校毕业的，你怎么没穿军装？"

"啊，便衣方便。"我随声应和着，心想这位不定把我当谁了。

老太太啧着嘴，上下打量着我，嘴一瘪："人那孩子怎么那么出息？瞧人家，再瞧你。"

"你们在老山打得还挺凶吧？"矮汉子没理他妈，里外忙，兴冲冲地问，"你打死多少人？"

"啊，我是团长，不亲手打人，再说我们是炮团。"

"打他们越南丫的，我看报纸跟他们掐起来心里这高兴，不让他们撒野，反正咱们解放军也是闲着。"矮汉子端了碗面条站在地当间儿三下五除二吐噜了，又手抓着三个生鸡蛋，磕了往嘴里倒，“痛快，你真吃过我就不让你了。生鸡蛋有营养，动物卵嘛。这就是你不对了，这么长时间不来看我，我还老惦记着你。”

“咱们分手有十年了吧？”

“不止，中学一毕业你就没影了。我还一直心说你丫这操行的人能干什么？在学校时你丫那 ×，女的都敢抽你。”矮汉子又喝了个生鸡蛋，满意地看我，“不错，真不错，你还知道来看看我，从来还没有过一个团长来看过我呢。我们这样的不行，别看在学校挺横，没事踹你一腿打你一嘴巴——这你都不记得了吧？毕了业也就完了，一辈子当个臭工人。哪像你，嗬，团长——牛 ×。现在你就敢当团长，赶明儿你还不得混个师长旅长的干干。”

“我没事，就是顺便来看看你。”

“忙什么的？”矮汉子见我要走忙喝掉最后一个鸡蛋，一嘴腥气地说，“来了就多坐会儿，反正我也没事，你不来我还不知道找谁去呢。”

“你没看人家嫌咱家脏。”老太太盯着我恨恨地说，“人家团长哪是在这屋待得住的？人家这就够抬举你了。”

“不是大妈，我还要去一些战士家里看看，当了领导，回来探亲总要顺便搞点家访，报个平安，谁孩子在前边打仗，家里老人不惦记？”

“你懂个屁！”矮汉子叱他妈，“人团长觉悟像你？要不人家怎么是团长。甭理老丫的，咱们走咱们的。”

矮汉子把我送出来：“没事常来，你比方言强，那小子不地道。他丫这几年瞅那劲儿像发了财，喂，不认人了。有次我在街上碰见他带个女的，迎着面就走过去，头都不带回的，直接杵进大饭店。我心说你丫牛 × 什么呀，不定怎么卖屁股挣点钱，倒觉着自己成了玩意儿。”

“什么时候？”我看着矮汉子，“你认错人了吧？”

“错不了，就是头年的事。我还方言方言追着屁股喊他，他反而溜得更快了。”

“你还记得我名字吗？”

“那还能忘？”矮汉子笑着猛拍我背，“你就是卓越吗，你以为你是谁？”

七

从矮汉子家出来，我贴着墙根儿在胡同里走，心情慢慢地变得沮丧。当时正是午后，阳光像水盛满槽子充溢在每条胡同里，流漾耀目，处处望去都是一片光晕迷蒙。我想走到大街上，但老是在胡同里转圈，走完一条胡同面前又铺开一条胡同，犹如走在转动的球上，周而复始，无穷无尽。我甚至能清晰地听到咫尺外街上的喧嚣人声和电车行驶的“轧轧”声以及售票员使用广播器的说话声，可就是走不出去，总是迎面碰上一堵堵青砖围墙和一条条胡同豁口。胡同里静谧无人，我心神恍惚地走着，阳光照在脸上刺得我睁不开眼。这时，我看到路边墙根儿湿土地上有一卷盘旋向上冒着热气有一个妙不可言的尖儿的屎……一个中学生背着沉重的书包低着头迎面走来。接着，犹如从雾里出现，一个个男女学生低着头默默走来。一所中学在前面出现，操场上空无一人，篮球架下放着一只套着网兜的篮球；灰砖教室楼上的每一扇玻璃窗都被打破，玻璃上的黑洞千姿百态……前面丁字路口出现一组小吃店、菜店和理发店，一些面熟的老太太正在买菜，看到我便冲我点头。我发现我走进了一条熟悉的胡同，这儿的一切就像十年前一样毫无变化。我的脚步轻捷起来，我隐约觉得自己知道前面还会出现什么。果然，前面半空出现一只单爪抓着石雕地球的展翅铁鹰，铁鹰站在一个堂皇的石砌拱门上。越过一片片低矮的民房屋脊可以看到拱门里那个庞大院落的重重楼阁和绿荫覆掩的假山、凉亭以及一排排浓密的树冠。这个大院是民国初年北洋政府一个头面人物的官邸，后来一直被各个时期的情报机关占用，直到“文化大革命”中军队的情报机关迁走才成为另一个军事单位的宿舍院；那些高大阴森的殿堂被隔成一间间小房，住进一户户被免职的军官的眷属。我越走越认出这一带的景物，十年前我经常到这里，和高晋、许逊、汪若海以及许许多多的男男女女在这里啸聚成群。可是，我印象中这个院在十年前全国大兴土木搞城市建设的浪潮中已经被拆毁，假山推平，太湖石卖给了公园，树木尽伐，金鱼池填平埋了暖气管道，在被铲平的原址上军队盖了一栋栋整齐划一的公寓楼。我走进铁鹰凌空的石拱门，门口传达室的战士没拦我。我穿过巍峨的三重正殿大门，沿着朱漆剥落的游廊往里走；我路过一个大花园，花园沐浴在曚昽的阳光中；一株巨大的海棠树开着云堆雪砌的满树白花，落英缤纷点点花痕散布树下；园中苍翠的柏丛后面一树树梨花一兜兜桃枝花朵繁盛，累累垂下的粉白交映，蓝天之下一片绚烂。我走进一条殿侧的黑漆漆夹道，在夹道中我闻到了记忆中的厕所气味。眼前一片豁亮，我来到一个大天井院子，四周是带水泥廊柱的西洋和中国古典风格混杂的两层楼房，每间高大的房间里都住着人家，孩子们在通廊上跑，廊柱间绳上晾着各色衣衫。我踌躇了，因为这处景象和我对另一处景象的印象过于重叠，我一时不知身在何处，竟如走进异域。这天井院院子跨院子，四面八方都有门，推开每个门都会又进入另一个天井院子，每个院和每个院一模一样，只是依次下来天井愈来愈小，最后头顶上的蓝天只有手帕大小，仰首而望，人如置身深井。院子满铺青砖，阴生绿苔，四周房屋门窗紧闭，鸦雀无声。这个地方我来过，我边走向西厢房的门边想，不但来过还在梦中一次又一次重蹈此地，这些年我可以说是经常回来。我知道给我开门的会是一个脸色苍白的男人，会立刻看到一屋子烟在惨白的日光灯下弥漫飘逸；那是一个铺着厚厚空心地板的套间，屋里尽可能挤地放着尽可能多的床，床下堆着大量积满污垢的各种牌子的酒瓶；唯一的一张桌子上扔着各种牌子的皱巴巴的空香烟盒，烟灰缸会是一个旧鱼缸盛满烟蒂；墙角会有一个公家发的檀色大书架，所有的家具腿布满锯齿般的累累刀痕。我甚至已经想起了每次在梦中回来都干些什么，我总是和三个同样脸色苍白的男人打扑克，就是我和吴胖子、刘会元他们常玩的那种赢钱的打法。

我敲了敲西厢房的门，正待再敲，门无声地开了，一个脸色苍白的男人看着我。我迎着满屋子翻卷的烟雾走进亮着惨白日光灯的屋子，脚步踩得地板吱吱作响。我在那三个脸色苍白的男人面前坐下，他们看着我，目光呆滞，他们是我的熟人我的朋友，可我就是叫不出他们的名字。每当话到嘴边就像突然失聪什么也听不见了。

“我们玩牌吧。”一个脸色苍白的男人说，声音像是从隧道深处远远传来。另一个脸色苍白的男人拿出一副崭新的扑克飞快地洗着，然后放在桌上由我们依次搬点，我搬了张草花 10，满点，于是由我先摸牌。

我们聚精会神地打牌，我叫的极为谨慎，手抱半扇直过，每回叫起牌都是严严的，但看上去稳成的牌总是功亏一篑，不是关键张出错就是打出“天断”Q。我记得我摸过几手非常漂亮的无将牌，四门截守长套缺 K 没扎下来反坐两管一门捅穿成牌上了趟，要不就是 AK 挂崽儿挤到最后没涮下来回钩打德国车变门被抠。我对这几把破牌耿耿于怀，不停地在脑中演绎着正确打法，但一旦有牌又不可遏止地出错——我总是在事后才能知道正确打法。

我记得我们打扑克的过程中，套间里面一直有一男一女在低声说话。语焉不详，但嘁嘁喳喳之声始终未停，像寂静中的一种蜂鸣，微弱但毫不间断地骚扰着我的注意力使我既静不下来又集中不了精神，以致后来当我回忆当时的情景时我总有那间屋很喧闹的印象。我记得打扑克的过程中有一阵子我旁边站着一个女人看我们打。这是个非常娴雅端庄的女子，事后想来她就是我无数次在心中在纸上在自己脸上勾勒过的那个女人。我记不清她是不是从里屋出来的，她站在我旁边时里屋的低语声也一直未停。我们好像都跟她很熟，一边出着牌一边和她说笑。她也是笑吟吟的，嘴唇不住地翕动，但说的什么我几乎全忘了。整个事情过程中，我只记得一句话，还不知道是谁说的。

“我好像在哪儿见过你。”

我进这个小院时是晴朗的中午，那块手帕大小的天瓦蓝瓦蓝，但我出来时天已经暗了。我好像并没有在那间屋里待多久，只打了几圈牌，说了一会儿话。我沿着黑黢黢的夹道在一连串的套院里穿行，成排的房屋门窗紧闭，不时从黑暗中传来嘈切的细语。我感到这个地方非常陌生，我从来没走这么曲里拐弯、黑咕隆咚的路，我甚至觉得那间灯光惨白的屋那些脸色苍白的男人以及刚才打的那几局扑克都是不存在的，就像那蹊跷的女人不存在一样。我来到豁亮的大天井院子，这种陌生感才渐渐消失，我仍摆脱不了这个院子带给我的熟悉感。暮色降临，几个战士在天井院子拉电影银幕，空场已摆了两排各种式样的板凳竹椅，一些少女在廊柱旁嗑瓜子聊天；黑黢黢的夹道微亮的另端入口不时有人进来，男女老少或笑或说一进入夹道就变成一个个静静走动的黑影，片刻出了夹道方再现面目……我想起来了，我的确来过这个天井院子。那是夏天，院里也在放电影，暮色四合，夏天的时间显然要晚一些。电影是部黑白战争片，银幕上的我军官兵穿没有领章帽徽的夏季军服，端的是“五零”式冲锋枪，显然是部描写抗美援朝的片子。我们站在跨院门口边抽烟边说话，银幕后边的木结构小楼被银幕透射过去的白光照得轮廓浮现。银幕上人物的对白声在天井中瓮声瓮气地回荡，间或响起坦克履带震耳欲聋的“轧轧”声。冲锋枪在点射，火箭炮在齐放，人群在呐喊。在这一切音响中最突出的是一部雄壮的交响曲……周围的人嘴里有酒味，我们是刚吃饱饭回来，在哪儿吃的？我的胃疼，盛满了刺激性液体和大量不易消化的肉类，这是唯有喝了过量葡萄酒吃过煎肉才会引起的症候。我感到上涌的味道是一种甜甜的发酵味，是的，我刚吃过西餐。当时北京市内对外营业的西餐馆只有两家，一家在动物园旁，较远，如果在那儿吃的显然回来的时间应该更晚……我知道我是在哪儿吃的饭了。她站在我身边，我看不清楚她但能闻到她身上的“紫罗兰”香水味，怪不得我现在一闻到“紫罗兰”香水味就有一种莫名的冲动。当时我站在黑暗中勃勃欲发，这也证明了她的确在我身旁，我是有感而发，“紫罗兰”香水味就像雌兽身上散发的麝香味撩拨雄兽一样撩拨我。这之后到上床是空白，我当时喝了酒，精神恍惚。我再能想起的已经是后半夜，电影的音响早已沉寂，窗外下着瓢泼大雨，闪电时而将屋内照得彻亮，我旁边是一具白羊般的躯体。雨是无声的，有人开门进来，又出去，踩得地板吱呀吱呀响。噢，我有个印象，她的体姿如骏马般的雄健，那一定是她采取某种体位时留下的形象。

当时和我一起站在跨院门口说话的那些满嘴酒味的人都是谁？我没法把那一张张模糊的脸辨认清楚，没法理顺那些混沌场景中各种姿态的纷乱人形间的关系，没法复原那些混合交织在一起嗡嗡一片的话语中自己的声音。我好像隔着一大块空白向一个灯光昏暗人群晃动的舞场张望，即便那里都是熟人，我能看到的也只是一个个陌生的背影。

这么些年过去，这家餐厅的招牌已换但外观依旧，仍然是那幢四四方方灰砖楼房中的狭长一条，像一座剧场的走廊。餐厅在另一条马路上开了个富丽堂皇的旁门，过去的老式旋转门前冷落了，堆着盛满空啤酒瓶和空可乐瓶的箱子。阴影重重的大树下停着的一排小汽车也积满灰尘，挡风玻璃污秽不堪，被人用手指画出各种符号和简捷有力的粗话。

我站在人群熙攘的街对面看着明亮的窗户内人们在餐桌旁边吃边喝边聊天，隐隐的音乐声传出来。我知道这已经不是当年那个高级餐厅了。日本人把它改建成了一个简单时髦更便于迅速赚钱的西式快餐店，店堂内设置了长长的售菜柜台，用锃亮的不锈钢栏杆围着，人们排着长队依次取菜，像在地铁站的入口和医院挂号处排队。不存在重温旧梦的可能了，就在前几天我还来过这里，毫无感受地坐了半天，像烟排列在烟盒里。

我麻木不仁地坐在人丛里喝酒。周围是密匝匝的人头，有络腮胡子的欧洲游客、戴眼镜的学生、面颊光嫩的姑娘重重叠叠或正或侧或低首或扬脸微笑平和神态不一。我喝我慵倦我目涩我睁眼做白日梦，耳边一片喃喃低语。我看着一个蓬发戴眼镜穿棒针毛衣的小伙子去柜台取饮料转过身来变成我过去的一个熟人冲我笑向我走来，问我怎么独自坐在这儿“不和大伙儿在一起”。我起身跟他走，毫无阻拦地穿过中厅进入另一间厅堂，这里坐的都是我的熟人，一桌桌地边笑边吃像是在开同人招待会。我看到高晋、许逊、汪若海和乔乔、夏红；看到吴胖子、刘会元、胖姑娘；看到找过我的那三个警察和张莉、金燕，甚至那对不相干的新人也满面春风地坐在人群中。我还看到高洋、卓越和那个穿条格衬衣的陌生人同桌坐着，我纳闷怎么刚进来时没注意到这厅里的这些人。我觉得有些话可以当面说清了。可我走到他们桌前时，嘴里却发不出声，他们看着我只是笑什么也不说。我焦急地转来转去，脸上露出种种恳求、渴望的神态可没人理睬我。张莉向我招手，我向她走去，却身不由己地坐到了另一桌上，旁边是那个蓬发戴眼镜的熟人。他给我斟酒，泡沫高过酒杯仍不住手，酒液流下玻璃杯漫到桌上滴在我腿上，腿上一阵冰凉。他问我，我的女朋友怎么没和我一起来，我稀里糊涂地回答说她家里有事来了个亲戚。接着我清醒起来问他说的是谁？他说除了刘炎还会是谁？他接着挺奇怪地问我，你们不是刚从云南回来假装去看石林其实是跑出去鬼混。我去云南是和她吗？我连忙问你有证据？装什么傻呀？他说就跟刘炎，不是跟你姘跟我姘似的你倒不如我清楚。刘炎我念叨着这人名字竭力记着你是说她叫刘炎。你是不是醉了？那人问我梦没醒吧。不是不是，我说我有十年没见她了，我都忘了她什么样。那人笑，脸是记得，身上没法细说，挺不错的，放心你不冤。细说细说，我说我要知道具体，我正在找她，不弄清楚了没法办。细说我也说不清楚。那人说。不过我家里可能有她照片，我可以给你找找。现在就去现在就去我说饭回来再吃。那人家在小胡同里，我们摸黑绕了老半天，最后又来到那个天井院子。这地方我来过，我说。看着已成废墟的院子出神。整个大院到处是砖块瓦砾，假山花园楼阁荡然无存，只是断垣残壁仍显出过去院子的格局。小屋孤立，透出惨白的灯光。我们走进去，那伙脸色苍白的男人和那个女人都已不见。那人从书架上寻找出一本布面相簿一页页翻，上面都是发黄的黑白照片，各种年龄各种相貌的男女在各种不同景衬下的合影。我屡屡看到我，噘嘴戴着红领巾的、穿水兵服划船的、留着长发吸烟的。我身边的人不停地换着，先是父母，然后是高洋、许逊，再后是吴胖子、刘会元。这中间还掺杂着大量忘掉的人，萍水相逢的人。这里同我合影最多的是高洋和卓越，几乎每个时期的照片中都有他俩，从早期理个小光头挺着小胸脯到成年后穿着军服和便衣在各地名胜前含蓄地笑。他俩几乎是和我一起长高变壮甚至连眼神也是一起变化由纯洁无邪到疑虑重重。接着，卓越便消失了，再也不出现了，然后是高洋，一排排人中没有了他的脸。我越来越多地是单人留影，面孔越来越老，笑容越来越尴尬，最后几张我完全是垂着头。镜头移开了，空拍了一些乱石断墙枯树坍塌的庙宇晦暗的海面荒草萋萋的山头。这些杂杂拉拉的照片中有一些或结伴或单人的女人，各种笑容静态或艳或媚大都背影晴朗、景物可辨。唯有一张像是阴天室内影影绰绰站着一个女人，身后全虚，脸也模糊，细看才见五宫：眼下视嘴微张仿佛吞吞吐吐欲说什么，照片下部还有一个较明亮的局部那是被照者一双互相搭着的手。尽管照片拍得很糟人也很难分辨但我知道这就是她了。我记得我把照片取了下来装进衣兜然后回到餐厅。餐厅里很热很亮灯光刺眼仍是人头如丛。我的手心在出汗，高晋、吴胖子他们仍在从容吃喝，一张张熟人的脸在晃动，我认真地看去像用长焦镜头推向前去将他们放大收近，我发现我不认识他们，随着五官的清晰毛孔的扩大我觉得这一张张脸上熟悉的特征在淡化在消逝，变成一个个陌生的鼻子、眼睛和嘴组成一张张生疏的形象迥异的脸重重叠叠。我旁边一个娴雅的女子在看我，就像我把那帧照片摆在了旁边。不知是我进入了照片还是她从照片里出来，周围昏暗下来，室内景物变得影影绰绰，窗外是小雨阴天。我们懒懒地对坐，她的手在桌下显得明亮、光洁，她的头发没扎没烫乌黑笔直瀑布般地从肩上泻下去，眼下视，嘴微张。我好像跟她搭讪了半天她始终一声不响。别那么势利，我对她说。平时总抱怨没有机遇，一旦机遇来了又不知道把握；你要知道我是谁，你就不会这样了。我对她承认我不是凡夫俗子虽然自报家门有失矜持，有名菜不等端自个上桌之嫌，但高山流水知音难逢，你不把握我我还急急欲把握你呢。我说我不赞成人分三六九等，为什么名流就不能主动吊百姓的膀子？我不觉得丢了什么份儿。她笑了终于绷不住笑了……大概就是从这儿开始乱的。我对她说，我是作家，写过《哭泣的骆驼》、《梦里花落知多少》。别傻了她说，这一套我已经听你演过一次了，在你家“至今已觉不新鲜”。她让我好好看看她，咱们见过你从你家轰过我。我颇为诧异呆若木鸡怔了半天认出对方是那天送那对新人来我家住的女子李江云。我想溜被她叫住“别不好意思别装作头一回干这种事，这样并不打动人，我知你是老手”。我强笑着干咳着东张西望着脸红红地说：“人总是有纯真的一面。”后面有点虚，我不知道究竟怎么过渡的。我好像又和李江云坐了半天，主要是听她奚落。她说了很多暗藏契机的话，我想着要记下来最终一句没记住。我好像始终有个较清醒的意念要走开回到李江云出现前的场景中去，但我始终没挪地方仍和李江云对坐着。我自己说的话我记着一些残句：“我给他们领导打过招呼……”“人不在职，下面就怠慢得多……”这好像应该是我们后来在地铁等车时说的。但我恍惚记得我是坐在餐厅里说的，似乎我们已预见了后来我们要在地铁站等很长时间。还有一些话的含义我很不清楚，我是用文言咬文嚼字地说的：“尔乎夜满深雾，昼弥长云……襄桓怀怨望……犹为廉士所弃……宁复慈心所忍……”还有一些法语一类的鬼话我都不知道我怎么会说这些。这种学问我一向是望尘莫及的。我认为我是在梦里，但周围景致、人物又是那么实在栩栩如生叩之即响，使我又无法疑在梦中。我们乘着地铁回家，但我又清楚地看到长街闪过的一盏盏路灯一团团黑魆魆的树丛。我自然而然地和李江云一起到了她的小屋，鬼鬼祟祟地穿过昏暗的楼道闪进挂着的红花门帘内。一方面我觉得屋里漆黑一张潮湿的嘴对着我脸呼出热气，一方面我又看到李江云在灯下安详的脸穿着紧裹身体的暗红色毛衣。她从空中慢慢下降像从滑梯上慢慢溜下来，我仰视着她像被裹进温暖柔软的襁褓，惬意感如同涟漪在我身上一圈圈散开一波波起伏，我身体的底蕴被触动了激活了，犹如一线波涛从天外远远奔来，愈来愈清晰愈来愈浩荡。这时我是清醒的，像有尿床习惯的孩子那样警觉，但意念飘忽，把持不住，终于放纵——我手心抓着大把丰厚结实颤动着的肉，感觉是那样真实不容置疑。我在临界状态相持了很久，像炮膛束缚着点火欲出的炮弹既顽强又徒劳。一发发礼花在夜空中迸裂飞溅带着灼热的能量夺路而出，夜空在抖动。我像一具薄脆易碎的玻璃管在高温下炽红熔软——悔之莫及，万念俱寂……

八

我头疼。

我筋疲力尽地从床上爬起来时阳光已照彻室内。我有印象我搞脏了被褥，但我纳闷地发现周身上下很干净。那对新人在煮袋装牛奶，见我出来也给我盛了一碗。他们很懂事地不吭不哈喝完牛奶，然后男的对我说他们要走了，临走想办桌饭告别一下以谢关照。东西已经买好，让我今天别出去顺便把大家找来。我点点头说随便你们怎么弄，然后去给吴胖子打电话叫他们过来。

我正在整理牙具和随身携带的衣服，李江云来了。神态端庄，举止娴雅，不卑不亢地和我打招呼。好久没见，我笑着对她说昨晚我都梦见了你。是吗？她随口应了一句，问我这是要上哪儿。去投案。我说我被人陷害了好日子过不成了。你昨晚没梦见我吗？我问她。她脸一红扭头去问新娘，你们准备给我们做什么好吃的。我发了会儿呆又继续整理简单行装。这时吴胖子、刘会元他们来了，一进门就大嚷大笑拿李江云逗趣。说这两天满街找她找不着，昨晚去她家堵她，结果屋里有人不开门，让哥们儿几个冻了半夜。

李江云只笑不说话。我们坐下玩扑克，李江云无聊地坐在一边翻画报。我不时去睃她，她也不时抬眼看我，眼中看不出有什么意思。方言昨天去哪儿了？吴胖子他们问我。我们也找了你一天，是不是藏在李江云屋里。我说是我们相洽甚欢。哥哥打下江山你来坐。吴胖子笑着说看出阴人来了。我对李江云说，来坐在我身边做出样儿来给他们看，李江云淡淡地没搭腔人却居然挨着我坐了过来。怎么，我笑着说咱们真的会过。李江云脸倏地变色怒目圆睁似受莫大侮辱。快离开快离开吧！我做畏惧状笑着说，我可不敢招你。李江云凝视窗外不理我们。刘会元问我高洋事有无眉目。我说，完了，我没戏了，证人找不着干系脱不清我认命了，也没劲跑了，现就等着警察来抓了，爱谁谁吧。怎么会这样。刘会元说你当时在哪儿你也闹不清。闹不清？我说闹不清的事太多了。我记得我当时在北京，可一帮人非说我在云南。我连一个当时和我在一起的人也找不着。据说有个女的那会儿和我在一起，可她，他妈的影子也摸不着。这么些年早不知道干吗去了，连到底有没有这个人也说不准了。我看李江云她若有所思。我觉得我们对她不够公平，她堪称美丽，只不过太善于保护自己，所以招人不待见。想想办法认真找找。刘会元说屁放过还有味，人出现过总会留有痕迹；先验明正身然后大伙儿一起找。她叫什么？问题就在这儿，一概不知只知姓刘。姓刘的多了成筐装。梦里我倒是一切都弄明白了可管什么用。还带做梦的，刘会元笑。你倒整齐全了。所以说，我说再弄下去我非成精神病不可。

这时新郎挽着袖子潮乎乎地说菜快弄完了，大家洗手准备入席吧。我们出去看，饭桌上已经摆了五颜六色油亮鲜嫩的一片冷盘，齐声喝了个彩，分头洗手搬椅叼食。这时李江云拽了拽我袖子说，有话要跟我说让我出来。我跟她回到客厅她欲言先红了眼圈激动地点起一支烟抽了两口然后定定地盯着我语气平静地问，我怎么啦，怎么就那么不入你们眼，让你们避之唯恐不及。你说说你给我一句实话，我究竟有什么毛病？你没毛病我有毛病。我笑，随之看到李江云的眼神立刻不笑了，茫然地说，我们挺喜欢你呀，没人说你什么背后直夸你，他们就那种人喜欢用嘴云雨，这是他们的毛病不是你的毛病。我说的是你。李江云仍火冒三丈，我怎么就那么给你留不下印象，还是你故意装的什么都不往心里去以示潇洒。你给我留下印象了。我更加困惑地说，我心里一直惦记你就是不知如何动作，生怕惹恼了你……算了！李江云把烟一甩掉头就走，去你妈的吧！

去谁妈的呀！这娘们儿怎么张口就骂人，谁招她惹她了？我嘀咕着坐到已经飞盏晃觥膀臂交错的席间。李江云在对面入座，一副冷冷的愤懑。

今天是咱们这辈子最后一次见面了，我在这儿就先跟大家永别了！我举着酒杯笑着说。大家也笑，唯独李江云不笑。我喝了酒坐下再斟再喝一一碰杯，火辣辣地盯着李江云笑。忽然我明白了什么，开始在身上的兜里乱摸。

“你找什么？”吴胖子说，“我这儿有火。”

“不是，不是找火。”我起身奔回屋里，打开衣柜在所有挂着的衣服兜里掏摸。我记得我那天穿的是一件棕色多褶有毛茸茸大翻领的旧飞行皮夹克，当时这种空军飞行员的皮夹克风行一时。我挨件拨拉着衣架上的衣服，终于在衣柜深处找着了那件已落满灰尘的旧皮夹克。我在皮夹克兜里掏出那张照片：阳光滚滚，纷纷扬扬的灰尘充满房间，照片的昏暗背景中一个穿着过时服装的女子的脸部隐隐约约印在上面。照片已经发黄翘角了，一道折痕从女子脸部横贯，使这个女子的脸有些歪斜，像是在古怪地微笑。

我拿着照片回到饭桌旁，不住地觑视李江云，她低头吃菜并不正眼看我。

“这照片哪来的？”刘会元放下筷子拿过照片借着光线看了半天，然后问我。

“从旧衣服兜里找出来的。”我看着李江云说，“这照片一直藏在我家，可我还满世界去找去打听，我想这就是我要找的那个女的，人家说当年我就是和她在一起。”

“我看看。”吴胖子嚼着东西接过照片打量。“这不是小一号的李江云吗？怎么，你们原先就有一腿子？”

“怎么成李江云了。”我笑接过照片，看看李江云，又看照片，“这不是李江云，长得倒是不知道哪儿有点像。这是我早年的意中人，长得还可以吧？我有印象，别人告诉过我她的名字，她叫她叫她叫刘炎。”我猛地想起。

“怎么你的意中人的名字还要别人告诉你。”

“我早忘了。”我把照片放在一定距离端详着笑着说，“青春的岁月像条河，流着流着就成浑汤了。”

“没见过你这么晕的。”吴胖子笑着说，“自个下的蛋自个全不认得了，还得别人帮你孵。”

“换你你也晕。”我说，“乍不冷出来一个人问你八辈子前的事你哪能样样说清？怕就怕秋后算账，本来挺明白的事最后也不明白了。”我看着照片若有所思地说，“其实我倒记得有这么一位侧福晋，就是脸有点模糊名儿记不真着。毛主席他老人家跟咱们熟吧？我要不截长补短地去天安门溜溜，他老人家是背头还是分头我也容易搞混。”

我看李江云，端起酒杯。“来李江云咱俩碰一杯，你真得包涵我。我这几天被这些事弄得魂不附体，整个梦游一样。”

“这是怎么回事？”吴胖子看着我们笑说，“你们这话里有话呀。”

“大概他还在梦游呢。”李江云淡淡地说，放下酒杯要过照片，看了一眼又把照片还给我，“这美人现在在哪儿啊？”

“我也不知道。”我承认，顿时泄了气，“有了照片找不着人也白搭。”

“你可以到大街上张榜去。”吴胖子笑着说，“或者把照片拿在报纸广告栏上，注明：今有呆傻妇女一名走失……”

“你一贯把自己的欢乐建筑在别人的痛苦上。”刘会元说吴胖子，“这样不好。”

“你痛苦吗？”吴胖子胳肢我。

“当然痛苦了。”我躲开吴胖子，“我的心都碎了。”我看着照片上的女人一方面明知曾和她有过非同寻常的关系，一方面却无万千思绪奔来。她总给我若隐若现的感觉，原因来自她下视某点眼皮遮住了眼睛。她与其说毫无表情不如说表情冷漠。我不知道是因为她正在说的事很重要需要冷静还是她述说的对象令她厌恶——我这么说同样是因为她垂着眼睛给我一种懒于正视的感觉。我有理由揣测坐在她对面位于相片之外的那个谈话对象是我，室内一定还有个第三者——拍照者，从取景角度的微小区别和照片所有的严肃气氛一个人身兼二职：既倾听又拍照，那就太做戏了。我看不出室内布置是我所熟悉的哪一家，女人肩部露出的一角椅背似乎很斑斓光滑有一定光泽，和暗处显示的墙壁的明暗度有相似的地方，疑为同一质地，我一时想不出在民用建筑中什么材料既可做墙又做家具——排除原木。我说过女人手部很明亮，姿态奇特，似双手交叉，细看却感觉好像握着什么，可惜她衣服颜色太深使手中物件融为一体，不妨设想为一深颜色钱夹。不知为什么可能我身心浸满铜臭，我总觉得照片上的谈话与金钱有关。

饭吃到下午已经吃了很长时间也没什么可吃的了，酒菜悉数告罄，大家都懒懒的神怠眼惺强撑着。那对新人收拾东西准备赶火车去，大家虚情假意地告别。我对李江云悄悄说让她“留一会儿”。她拒绝，说要去送那对傻瓜。我再三恳留她听也不听，于是我说：“我也去送他们。”

我们撂下一桌狼藉的杯盘碗筷出来，外面阳光很好。吴胖子迎着太阳眯着眼叼着烟和新娘不停地插科打诨，李江云帮着新郎检查要带的东西有没有遗漏。这时，刘会元捅我一下，示意我跟他走到一边去。我们稍微离开了那伙人，假装站在那儿吸烟。刘会元对我说：

“刚才人多，我不想他们听见。”他用夹烟的手指了指我装照片的口袋，“这个刘炎我见过，我想我可以帮你找找她。”

“怎么你认识？”我闻言十分兴奋，“你知道她现在住在什么地方？”

“那倒不是。”刘会元说，“我既不认识她也不知道她住哪儿，但我认识的一个人大概知道。那也是很多年前的事了，那会儿我在我的一个哥们儿那儿经常碰到这个女的。她好像和我那个哥们儿非常熟，似乎当时她就住在他那儿。我不敢肯定啊！详细内情我了解的也不多。我跟这女的也没说过几句话，我只是觉得她在那人家非常随便，东西搁在哪儿都知道；有时我们玩得比较晚，她还给我们做饭。”

“没关系。”我笑着说，“她这辈子姘过多少男人我管不着，我只要能找着她证明这辈子有七天她是和我在一起就可以了。”

“这女的是个人物。”刘会元看着我说，“我对她印象还挺深，很风趣挺大方舞跳得好冰也滑得好还会几句外语。那会儿哭着喊着要嫁我们那哥们儿，后来却没了动静。”

“你走不走？”李江云站在远处喊我，“要不你别去了。”

“去去。”我对刘会元说，“回头我找你。”

去火车站的路上，无论是在车站间奔走还是在地铁车厢里总是我和李江云在一起，同那一对隔着很远距离。就是到了火车站，那一对上了车，我和李江云也是只顾嘀嘀咕咕说话远远站在月台上就像跟他们不相干。我一再对李江云说：“你得包涵我。我主要是认为这种事太不可能加上当时不清醒，生怕把假当真闹出笑话，所以宁信其无不信其有。”李江云说：“你现在恐怕就把假当真了。我不知道你究竟得出了什么结论，我发觉你这人一向不明不白，两极摇摆，根本闹不清什么是有什么是无，要么全盘否定，要么全盘接受，而且是按照自己的意愿大大演义了一番后全部当事实接受下来，所以你总是遇到麻烦。”“我知道你自尊心很强，一旦受到挫折很难再蹈覆辙。”我说，“但你要知道我这次是很诚恳的。这不是我好心想挽回你的面子，而是我在补救我的愚蠢。你别以为我是出于下意识或某种习惯性嗜好就坡下驴，其实我是真的喜欢你。如果我当时清醒我也会那么做由衷地乐意那么做，甚至更主动更奴颜婢膝。”“我相信。”李江云说，“只要我先做出某种表示，不管你处于什么状态，清醒不清醒，你总会自动做出反应，投其所好的反应。反之不是我，随便换个母的你也一样。我并不是对你这点有什么非议，你只不过和大多数男的一样，与其说是劣根不如说是天性。”“你看你根本就没懂我的意思。”“我懂了，我很懂了，你不要过多解释。你现在对自己很清醒可对我你还不清醒。你说的这一切是建立在你对我的一个错误的认识的基础上，你根本不知道我对你的要求是什么。我从没希望我们之间建立如何亲密的关系。我不知道我怎么使你有了这种错误的领会。我想你对我们之间究竟发生过什么依然不清楚，我猜你把发生过的和根本没发生也完全不可能发生的全都混在一起了，你仍然是按照经验按通常这种事的惯例程序来把握你的态度。”“你是不是以为你是与众不同的，这种事发生在别人身上就很平常，而一旦你介入了就注定要赋予一种非凡的异乎寻常的色彩？”“我从来没这么认为过。”

火车开了，那对新人从车窗里向我们招手，我们全没注意，直到站台变得空空荡荡了才往外走，仍然边走边说，完全忘了来这儿的目的。

“你太骄傲了，太喜欢自己了。这在大多数时候是一种美德，但有的时候就变成一种固执，令人生厌的固执。”

“你说的不对。我骄傲是一种禀赋并不是愿望也不是我喜欢表现的品质。我知道这很令人生厌,而且只会妨害自己。从内心讲，我是愿意表现谦卑的，甚至不惜显得做作。而骄傲，即便使人有所感觉，也仅仅是不由自主地流露，并非我本意。我是很自尊很珍视自己，这也不是因为我过高地估计了自己，而是出于仅仅不愿被别人无端地踩在脚下，你管这叫骄傲自珍我承认。”

“你认为我们不平等吗？”

“我认为我们很平等。但平等不等于投桃报李，我总有我自己固守的东西，你也有你自己固守的东西。尽管你看上去或者说你极力给人一种浑浑噩噩、稀里糊涂的感觉，但你骨子里是极世故的，有自己不能为他人左右的一套。”

“我有吗？”我笑，“没有吧？我怎么觉得自己是随波逐流、得过且过的人。”

“你看你又不说实话了。”李江云说,“刚正经会儿又不正经了。我在跟你很认真地谈也希望你认真点，否则我们就开玩笑好啦。”

“好好我认真，我是绵里藏针，肚里容珠。”

“你是个自视颇高的人，这你不承认也不行，否则你为什么对自己的过去非要一事一人搞清楚，你完全可以任人评说……”

“不搞清楚是要杀头的，我的小姐。”

“这是一个借口，从你对这件事的关心和热衷程度看，你除了要搞清这件事证明你的无辜，更多的是想对自己心中有数。你那么慌，因为你突然不了解自己了，少了一块东西，你拼不出自己的形象了。我想如果你清楚你那段时间在干什么，哪怕干的是坏事，你也不会这么慌。再也没有比对自己有个透彻的了解更重要的事了，起码你可以知道自己下一步干什么怎么干，让别人决定去向是可怕的。”

“我看你就很了解我，比我自己还了解自己，我怎么早没碰上你——我想你一定记日记。”

“记的，我不会因别人说了什么突然也怀疑起自己。”

“你这种人也比较可怕。”

李江云微笑，隔了很久后，第一次安详地微笑，“谈完了是吗？你不想再认真地谈思想了？好吧，就谈到这儿，我也累了。”

“下面咱们谈点正经的。”我说。

“刚才咱们谈的不正经吗？”李江云说。

“正经，刚才谈的正经，我是说咱们现在谈点实际的。”我撑住地铁车厢门，让李江云先进然后跟进。“怎么样？比较绅士吧？”

“噢，自己说出来就不好了。”李江云笑，“效果差多了。”

我也笑，抓住车厢摇晃的吊环：“我那个家眼下回不去了，说不定什么时候警察就冲进来。你说过，让别人决定去向挺可怕，这个我同意。就算警察圣明，最后能搞个水落石出，咱们也不能把宝押在别人的能力上。咱们得自个决定命运——万一是我杀的呢？咱们不就傻了？一点脾气也没有了？”

“别咱们咱们的。”李江云笑，“听着就像咱们是同谋似的。”

“我反正是把你当成同谋了。”我说，“我被逮了也要咬你一口，说你日记都是伪造的，杀人其实是你主使的，图财害命——你看着办吧。”

“真无赖。”李江云笑，“我倒想看看凭别人胡说能把我怎么样——这个队伍谁当家？”

“这个队伍是你当家，可是皇军要当你的家。真的，我在你那儿住一阵子吧。没别的意思，就是躲躲，早晚咱们还能交流交流思想，谈谈人生、世界。”

“饶了我吧。”李江云笑着闭闭眼，“你还真不能在我那儿住，也没别的意思，不安全。你想我一个单身女人，左邻右舍还不盯贼似的盯着我？万一有人报告说我收留了一个流浪儿，我受连累倒是小事，岂不把你小命送了我多不忍。”

“听这话数你疼我。”我说，“我也不是没朋友，但老朋友家都不能去，太明，警察一逮一准没躲一样。”

“这样吧，”李江云说，“我给你找个地方。我的一个女朋友自己有套单元，我给你说说，你可以在她那儿住几天。”

“我一般不爱住生人家。”

“你会很快跟她熟起来的。”李江云笑着说，“她可一点不骄傲——对你脾气。”

“咱们俩之间，只当我是太监。”

我在家里收拾细软，李江云坐在一边替我数着：“带上牙刷，带上洗脚布，带上擦脸油，围嘴呢？围嘴也得带上，宝宝。”

我笑着摘下那只灰色女挎包：“哥哥没什么准备，这个包送给你当见面礼，赶明儿再买新的。”

李江云接过挎包翻着里面的东西笑着说：“宝宝真可怜，平时就用这些破烂儿过家家？”

“这都是你嫂子留下来的。当年，你嫂子就是凭着这种劣势装备推倒的三座大山。”

“特别睹物思人是吗？慢慢地，慢慢地给我痛说家史。”

这时，电话铃响了，我拿起电话“喂”了半天，俄顷，才有一个女人的声音问我：“你不是去美国了吗？”

我愣了会儿方想起是谁，随口支吾道：“是去了又被驱逐回来了，移民局查出我有‘甲肝’。”

“既然你已回了国，”女人说，“一时半会儿也再出不去，我劝你还是去看看凌瑜。”

“明天吧。”我诚恳地说，“明天下午三点我去医院。”

“你明天下午去哪儿？”李江云用灰包里的口红在自己嘴唇上试色，问我。

我放下电话，走到她跟前看她：“哪儿也不去，骗傻×呢，我没空和她们啰唆。”

“你太坏了。”李江云把口红涂满嘴唇，照照镜子，又问我，“怎么样？”

我呆呆地看着她，扳起她脸上下瞧，“我们现在是在梦里吗？”

李江云挣开我的手，使劲擦去口红，笑着说：“我从来不涂这玩意儿，我总觉得一个女人嘴唇鲜红欲滴非但不妩媚反而有几分狰狞。”

九

坦率地讲，我认为这完全是偶合。当我和李江云在阳光灿烂的小胡同里转来转去时，我只顾和她不住嘴地献着殷勤，并没太注意正在往哪去。直到走进一条满是吵吵嚷嚷背着书包往家走的中学生的胡同，我才在人流中留神看了眼位于那条胡同里的那所中学，接着我就看见了有着一组店铺的丁字路口。

“我们这是去哪儿？”我在一群群擦肩而过的中学生中大声问李江云。

“去百姗家呀。”李江云安详地微笑着说，“前面就到了。”

拐过丁字路口，我看到胡同尽头那个大院的位置上现在立着一排排高大的、一模一样的公寓楼，楼群的阴影投射在胡同内荫了半条街。我们走近楼群，阳光留在咫尺之外，我身上暖意顿逝，楼群间时而刮过强劲的风。

楼道里很静，空空荡荡，没有寻常居民楼每一层堆置的菜筐纸箱自行车，楼道各层门窗完好紧闭，但拾级而上时却能感到楼道内流动着凉丝丝的气流。我们爬到顶层，高空风很大，楼道窗户被吹得“哐哐”作响。李江云掏出一串钥匙挑出一把打开了顶层两套单元中一套的门。

房子内各屋无不散发着一股热烘烘的因通风不良滞留的暖气味。桌椅床柜井井有条。我从屋内的窗户往下望去，下面是一大片无边无际的鱼鳞状的民房屋脊，那所中学的灰色教室楼凸出在远处，顺着两边民房的低垂房檐之间露出的狭长胡同可以一直看到丁字路口的小店铺。

“你的姐们儿、那个什么百姗不在家？”我在干净、充满女性温馨的床边坐下，“怎么没跪迎出来？”

“她还在班上。”李江云忙着把我的东西取出衣服放进柜，牙具放进卫生间，“你放心住下吧，一会儿我去找她，一切没问题，你会像仍住在自己家里那样感到舒适。”

“我倒从没在自己家里感到过舒适。”

“那就比你家更舒适。”李江云看我一眼，微微一笑，又继续忙碌着。拉开桌上一个带锁的抽屉对我说，“你所有见不得人的东西都可以放在这里。”

我看了眼那抽屉，又东张西望地看起屋里其他的摆设。我随手拿起床头柜上的一瓶香水，揭开盖，按着键钮向屋里四处喷洒。“百姗打呼噜吗？”

“不会让你和她睡一间屋里的。”李江云走过来，从我手里拿走香水瓶，扣上盖，放回原处，“那么我和谁睡一间屋？”

“和它。”李江云拎起床上一个毛茸茸的东西扔到我怀里。我抓住定睛一看，是个笑容可掬的玩具熊。

“你不在这儿住吗？”我问李江云。

“我自己有家。”李江云笑着看着我。“我又没干过什么亏心事需要抛家别业地躲藏。”

“一起住多热闹。”我热心地向她描绘，“亲亲热热那才像个过日子的样儿，一个人多冷清。”

“我还不知道，”李江云瞅着我，“我还不知道你是个具有传统美德的人。”

“我是传统。”我抱着玩具熊站起来，“我一向同现代派格格不入，我比较烦他们。”

“那你干吗不娶个姑娘，结婚生子，吃着馒头踏踏实实过你的传统日子？”

“我想这样来着，可没机会。年轻的时候谁都够不着，好容易碰见你了你又没点乐意的表示，苦啊。”

“别装了。我说你别装了好不好？咱们都这么熟了，你老扮着角儿也不觉得累又没什么效果。”

“我真的。”我走到李江云跟前沉痛地说，“我其实心里特苦，这点苦水儿我不倒给你倒给谁？我，唉，活活一个苦儿流浪记中国版。”我走到一盆开着花儿的君子兰前俯身嗅那花香。

“苦儿。”

我闻声回头，李江云拿着自己的包低头整着走过来。“我去找百姗了，你先自个儿待会儿。”

“告诉她，家里给她新设了一位‘御用挂’。”

“告诉她，她新领养了一个孤儿。”

李江云笑着走了。我手抱后脑勺仰面躺在床上，随着一声门响，屋里又复静寂。这时，我闻到屋里有一股淡淡的“紫罗兰”香气。我起身拿起床头柜上的香水瓶，看看商标，揭开盖又喷了一下，“紫罗兰”香气骤然浓郁起来。

整套单元里到处飘散着“紫罗兰”的香气。我在各间屋里察看走动，卫生间里摆满各种香波浴液以及面霜雪花膏，所有瓶子都是未开封的满满漾漾但商标色泽已经黯淡了。我来到厨房，一应厨具锅碗瓢盆调料油盐酱醋俱全，只是也都簇新未曾使用过。单元里另一间卧室的门紧闭着，我推了推门上有锁。

我回到我住的房间，走上阳台，伏栏眺望，远处，市街的嘈杂声隐隐传来，楼群间却是一片寂静。对面楼上的一扇窗户的窗帘动了一下，我感到受人窥视，便回到了房间。这时，我看到屋里站着一个年轻女子。

“我是百姗。”她说。两只大眼睛像盲人一样漠然地看着我。她的鼻翼两侧的颊上各有一块鲜红的蝴蝶斑，边缘凸起，像是一只大蝴蝶扑翅欲飞，上面的毛细血管清晰可辨。她不漂亮，但身段婀娜。

“坐吧。”她在屋里无声无息地走。也许是她刚从外面进来，她的身上带着一股寒气，“李江云都对我说了。你在这里不要客气，你要客气我反倒要别扭。”

“给您添麻烦了。”

她又像盲人一样地看着我，她的眼睛很大瞳仁上也未见云翳不知为什么会给我无视力的感觉，可能是因为她的瞳仁灰暗混浊犹如燃熄的灰烬。

“你一人住这儿，够惬意的。”

百姗置若罔闻地走到床前抻平刚才被我压皱的床单，将我动过的香水瓶重新摆好。“我这儿的东西你随便用。”她说，忽然露出笑意，“我很高兴又有人住在这儿了。”

她走出房间，我听到她打开另一间卧室的门锁，接着锁一响，四周又复一片寂静。

那天夜里，李江云没再回来，百姗也没再露面，我一个人呼呼大睡。半夜，我被某种声响惊醒，有人在外间屋打电话。我听到号码盘一圈圈转动的“嗒嗒”声，但拨完号又没人说话。稍待片刻，号码盘又重新拨了一回，仍不见人讲话。最后，过了很久，电话挂上了，我听到一个女人在外间屋大声哽咽，门上响起一阵类似爪子挠抓的刺耳声音，听得我毛骨悚然。我大声问：“谁在外边，百姗吗？”

挠抓声和哽咽声倏地消逝。我下床打开门，外屋黑漆漆的一片寂静，电话放在饭桌上，蒙着手帕，百姗那间卧室的门关得紧紧的。

那天夜里，西北高原刮起大风，被吹起的漫天黄土随着高空气流带到本市。早晨，当我睁开眼时，外面城市空中一片昏暗的黄色，数以吨计的黄土均匀、帷幕四降般地徐徐自天而落。无孔不入的黄尘微粒飘进室内，窗台、桌椅、地面甚至床上都落下了一层薄薄的黄土，我掀被而起就像从被人掩埋的坑里坐起。

我走在街上，城市空中下雨似的漫天洒降着黄土犹如天上无数翻斗卡车在倾泻，行人、车辆、楼厦一切景物都变得影影绰绰，到处是黄雾，地面积了一层土。这情景简直就像一场噩梦，一场掩埋整个城市的噩梦。我走进一家有公用电话的牛奶店，给刘会元打了电话，告诉他我现在在什么地方，然后找张空位子坐下。牛奶店里开着惨白的日光灯，灯光下到处一片惨白；巨大的冰柜、服务员的白衣白帽以及冰柜上摆着的各式冰激凌和奶制品，连人脸都是一张张的惨白。在窗外一片天昏地黄之中显得极不真实色调极刺目。

刘会元来到牛奶店时，我正浑身哆嗦地喝着一杯黑色的热可可，精神亢奋。

十

刘会元的朋友李奎东是个膀大腰圆的汉子，仪表堂堂，在国家某机关当处长，他在一间小会客室里接待了我们。他和刘会元很亲热，有说有笑。我沉默寡言地坐在一边心情很黯淡。刚才刘会元告诉我，昨天晚上警察搜了我家，来了不少警车。院里都传遍了，说我犯了大案畏罪潜逃了。警察还找了他和吴胖子查问我的去向，他们一概回答不知。警察好像知道的事不少，还问了那对新人和一个女的显然是指李江云。他们把那对新人的情况讲了一些，对李江云没说什么光说不认识。我非常担心警察顺着李江云控着我。我相信警察一直在用一种巧妙的方式监视着我。我甚至怀疑这个仪表堂堂的处长，虽然他并不知道我的底细。

他和刘会元聊了会儿，拿过我带去的照片看了片刻，又打量了我一下问我："你找她干吗？"

我把我编好的一套委托他人的完全无害的谎话说了几句："一个朋友要评职称，想找她要回放在她那儿的毕业证，当时他们住在一起。"

“没其他意思，”刘会元帮我说，“没恶意。时间过去太长，人的变化太大，老地址已经找不着这人了。”

“这人现在住哪儿我也说不清。”李奎东说，“我跟她分手也很多年了。我认识她后她就住在我家，所以别看我们有段时间很熟，你要我说她住在哪儿我也说不上来。”

“你们是哪年认识的？在哪儿？当时她是干什么的？”

“当时……”李奎东停下来，“你问这些干吗？”

“我看你还是跟他实说了吧？”刘会元对我说，“要不谈起来也不方便。”

“好吧。”我把第二套谎话端出来，“她是我姐姐。十年动乱中我父母双亡，我给寄送到外地的一个亲戚家，姐姐去东北农村插队，从此失去联系。这些年我一直在找她，一点音信也没有，只剩下这张照片不知道是哪年照的。要不是这张照片我连她模样也记不住了。我想她这些年一定很苦，一个女孩子无依无靠四处漂泊，天下哪有那么多好人。一想起这些我就心酸。”

“够惨的。”刘会元说，“我们这哥们儿自个也够惨的，所以我说这事无论如何我得帮他。”

“嗯，”我擤擤鼻涕对李奎东说，“我这不是要找谁算账，过去的事就让它过去。说句官话，账全记在‘四人帮’头上，我现在只想找着我姐姐；别的像你这种收留过我姐姐的人我只能说感激。”

“我们认识也得有十年了。”李奎东眨着眼儿不知所措地说，“当时我也刚从兵团回来，没有工作，成天在家闲着。离我家不远是红塔礼堂，那会儿那儿老演外国片，没事我就去那儿等票。那好像是春天，天还挺冷，还得穿大衣。那天红塔礼堂演什么片子我忘了，好像是《勇士的奇遇》。我在门口等票，电影都开演了，有票的人全进去了，礼堂门口台阶上稀拉拉没几个人。我正想走，那个女的——你姐姐来了，穿着件军大衣，手揣在兜里从我身边经过。我问她有富余票吗？她瞧了我一眼点点头说有，也没有把票给我一起交给把门的撕了副券把我带了进去。我说给她钱她也不要，这样我们俩就一起看了场电影。看电影时我们胳膊肘挨在一起，散场后我问她有没有事，她反问我有什么事，我说没事我们一起去吃饭，她想了想就答应了……"

"后来呢？"见李奎东中断了，我问，"就这么简单？"

"后来我们就认识了。"李奎东有些焦躁地说。我想他对向一个不摸底的人讲述这些很不情愿。

"每次分手我们都约好下次见面的时间和地点，经过一个不长不短的过程，她就住到我家去了。她对我说，她也是刚从兵团回来，家里已无人。从我对兵团生活的了解看她的确在兵团干过，我从没怀疑过她，也没道理怀疑。她是那种饱经风霜的人，对一切变故都采取泰然自若的态度，一切都不需要明说，一个眼色一个面部表情的微小变化都会使她立刻明白自己的处境和对方的意图。她从不执拗他人，也不使他人为难，很温顺很平和，和她相处我很松弛。请别因此得出错误的印象认为她是个凄恻寡言的活动木偶。她很爱说爱笑也很风趣，在人多的场合从不怯场总能落落大方应付自如，这点刘会元可能知道。她没有小家子自怜自爱的忸怩作态，同天真未琢的少女不同的是，她欢快并不恣肆，雍容并不轻浮。任何调笑撩逗一旦变味变得狎邪变得不尊重，她就立刻感觉出来。我不是说她就立刻形于色，她感觉得出来但含而不露。所以我说她饱经风霜，有一种超然物外的镇定与从容，皮囊已锈但污无妨。当她垂下眼皮时你哪怕将她拥入怀中甚至侵入身体你也会感到她神飘天外与你距离遥远。"

“她和你在一起时，用的名字是叫刘炎吗？”

“是的。我也一直怀疑这不是她的原名。就在我和她最熟识的阶段我也总觉着她是个陌生人，一个隐姓埋名的女子。你知道吗，她给我的不可捉摸的感觉太强烈了。”

“就为这和她分的手？”

“不，我不是非彻底了解一个人才能和他共处，有些事我倒觉得不知道为好。像我现在当着这么个小官，居于一些人之上，我更觉得保持距离的必要，均匀分布才能稳定和谐——不是为这个。”

李奎东吸起一支烟，吸了两口掐灭，看着我说：

“她说谎，这点我不能容忍她，我一而再、再而三终于忍无可忍。我不知道她出于什么心理，她完全没必要跟我撒谎，我从来没对她这个人之外的东西感兴趣——她主动骗我。我只能认为这是她的一种习惯。她从来也没有像一般骗子那样撒谎是有目的并想通过欺骗获得什么，也不像一般女人撒句谎是出于防范，她完全是无端的、下意识的这点比较可气。你要说你有什么难于启齿甚至有什么目的我还好理解点。譬如我们走过路边一排楼时她就指着其中一幢说她家就住在这儿，什么门牌多少号，家里有几间房，什么摆设，养了什么狗啊猫的。有一次我就按她说的门牌去找她，我没别的意思只是想让她惊喜一下，结果敲开门住在里边的人是我的一个仇人，跟她完全没有关系听都没听说过她，这实在太捉弄人了。我质问她，她却完全茫然忘了自己曾说过这样的话。还有一次她对我说，她养了一条亲密的小狗，如何如何可爱，毛如何如何长垂下来盖住眼睛，常得用剪子铰才能看清道。她带着它逛公园警察叱她，她对小狗说，‘跟叔叔说对不起’，小狗就‘汪汪’叫两声，说的有鼻子有眼。我叫她带来给我瞧瞧，她老说带老不带。后来搬到我家住时煞有介事地拎着个提包说小狗装在里边，打开一看是一只玩具狗。”

我笑：“这人倒挺有意思。”

李奎东疑惑地看看我：“天天跟你来这么一套你就有意思不起来了。我就跟她说，‘你老这样让我怎么知道你哪句是真哪句是假？’她说‘我改’。接着没两天又跟我说她的一个朋友要叫她去聚聚，一帮朋友等着要见她。我说那你就去吧。好，到时间她走了，我正好有事要去西单跟着也出去了。路过木樨地时，看见她一个人坐在街边花园逗小孩呢。她其实没朋友，我跟她认识这么长时间除了我的朋友没见她有过一个朋友。她每次说去朋友那儿都是在街上瞎逛，可她隔一阵儿总要出去一趟说看朋友。

“大概就是第二年。说实话，这点我不想隐瞒，我也没打算和她——和你姐姐结婚。大概她也看出这点，有一天她出门后就没再回来。我等了她很长时间，有段时间，每当门响我就以为是她回来了，可每次都不是她。后来时间长了也就淡了。人总得结婚，我就和现在的妻子结了婚，你要是不来我都把她忘了。”李奎东又抽起烟。

“后来你没再见过她？”

“见过一次。”李奎东说，“一年夏天是在王大人胡同还是大王八胡同我忘了。我和媳妇骑车路过，看见她和一个男的穿着拖鞋从胡同出来，她没看见我，我也没喊她。就那么过去了。我听一个朋友说过，他有次在个舞会上碰见过她，还把她带回家过了几夜，那人是个酒色之徒，总吹自己和多少女人睡过。他的话我不太信，不过也没准——王匡林认识吗？”李奎东问刘会元。

“不认识，”刘会元说，“想不起来。”

“你有这人地址吗？给我写一份。”

“有的。”李奎东说，“你们要找他别说我叫你们找的。”

“不会的。”我看着李奎东给我写下地址，把纸揣进兜里，“那我们就走了，以后你要是听到刘炎的什么消息劳驾告诉我一声。”

“我到哪儿找你？”

“你找刘会元就找到我了。”

“你姐姐绝对气质好。”李奎东似乎聊得上瘾，还想多谈谈刘炎，“样样出色，舞跳得好冰也滑得好。如果滑冰有业余段，她一定是高段。每次一下冰场绝对醒目高出其他人一筹，提刀旋转玩儿似的，像是长期生活在冰天雪地的女人。”

十一

“什么弟弟寻找姐姐？别逗了，现在国泰民安哪还有这种人间悲剧？哥们儿我见过你，你什么时候蹦出个姐姐？你姐姐早让你爸甩墙上了。”

王匡林是个相貌猥琐的瘸子，穿着笔挺的深色西服，两只小皮鞋擦得雪亮，一只跟高一只跟矮原地站着十分威武。我和刘会元找到他时，他正在楼下存车棚的公用电话处给人打电话。听到我们问存车老太太“知不知道王匡林去哪儿了？”拿着电话筒探出头来喊：“到这儿来到这儿来王匡林在这儿。”气派十足地吩咐我们：“你们先站这儿等会儿，我打完电话再跟你们说话。”然后伏在搁电话机的窗台上没完没了地说：“你们该动动了。巴黎银行那七百万美元已经汇进了瑞士银行，汇票我都见着了。巴拉万先生已经很不高兴了。这么大笔款子在欧洲调来调去下不了崽儿净听故事我都不好意思再跟人家见面了。你们糊弄别的洋鬼子我不管，巴拉万先生不合适；人家那么热爱中国，要‘拨了奶子’汽车人家也给了。咱们都是有身份的人，你们要为难，我给赵办李办打电话……”存车老太太小声对我们说：“见天一通电话不带重样的。这瘸子是干什么的？”“国务院‘瘸办’的负责人。”我们说。这时王匡林打完电话满面红光地转向我们，我们忙收住笑把来意简单地跟他讲了，还是那套“嗑儿”，没想到瘸 × 还挺精，根本不信。

“王爷是谁？甭想对付咱们，心里明镜似的。”

我忙笑：“既然王爷明白，我也不瞒您。我那么说是蒙傻 × 不是用来蒙王爷。这人我们想找她，她手里有哥们儿一笔钱，哥们儿急着用；再者说没用也不能瞎她手里，哪怕给咱王爷使呢。”

“兄弟不成啊。”瘸子吮着牙花子说，“瞧咱，玩妞儿讲究的是使别人银子，自个一个大子儿不掏。”

“那是，谁能跟咱王爷比。”

“这么着吧。”瘸子一拐一拐扭出存车棚对我们说，“反正我也要吃饭，咱们就一起吃吧，找个地儿。”

“您挑。”

“咱也别远喽。”瘸子带我们走过楼前停着的一辆小汽车拍着后备厢说，“我这车没油也没法开，咱就近处找个馆儿。我现在也忌油腻，随便概搂素净就得——咱这车地道吧？法国‘拨了奶子’，世界四大名牌，北京独一辆。”

“也不看是谁的车？”

我们跟瘸 × 出了楼区，穿过一条没铺完支着大锅正熬沥青的马路，捡了个标致门脸钻进去，直奔雅座。点菜时还热闹一阵儿，服务员拿来菜谱谁都不看，跟瘸 × 学着都仰着脸：“你们这儿都有什么吧？”服务员拣着海参大虾报，我们就对着眼儿互相看说“没劲不爱吃”。服务员接着报肉丸蹄筋黄花鱼，我们又说“俗气吃腻了”。后来服务员合上菜谱问我们：“你们想吃什么吧？”

我替瘸 × 说:“炒豆腐焖扁豆烧茄子。”服务员说时令菜一概没有,“想吃家吃去”。我们跟瘸 × 交口说,“小馆子是不成,什么都不全。”服务员索性一边坐着去了,“想好了喊我”。我们议论一通想妥了“凑合呗随便来点”。拾起菜谱从下往上点了一溜肉丝肉片,瘸 × 要了二斤饭。付款时丫挺的还跟我争,我钱都掏出来了他还拧着我胳膊往回塞,非他出,然后他手就长在兜里拔不出来了。

“咱们还来这套?”我问瘸 ×,把钱交给服务员。

“不是,不合适。”瘸 × 手托腮若有所思,“这是我的地盘。”

酒菜上来后瘸 × 特高兴,小手把住筷子在桌上对对齐又快又准地夹肉片不歇气地往嘴里塞。

“你们怎么知道我认识刘炎的?”瘸子美滋滋地品着肉味,颇自得地问,“这事我捂着还传那么广。”

“谁都知道这还用问,”我恭维着瘸子,“全北京都在传。”

“不对。”瘸子狡黠地笑,显出自知之明和清醒的判断力,“这事只有李奎东知道,你们肯定是听他说的。”

“不是不是。”我替李奎东遮掩。

“别吃葡萄不吐籽假装一兜水了。”瘸子略带讥讽地笑,“瘸爷不呆不傻长这么大还不知道谁是怎么回事……谁说的也没关系,瘸爷不在乎。李奎东肯定跟你们说姓刘的小娘们儿气质多么多么好,人多么多么高贵,属桃的烂皮儿肉不烂叫白活,一辈子没见过活人簸箕,不锈钢漏勺拎着数不清几个眼儿,蒙被窝嗑瓜子只当下肚的全是好仁儿。我告诉你们这刘炎其实是北京最脏最脏的‘喇’,要多脏有多脏你想去吧。收拾得娘娘似的,其实是个胡同串子,我还不知道她?她爸就是个蹬板车的,她妈是拣废纸的,从小到大没刷过牙没洗过灯儿——胡拉劈里啪啦往下掉活物儿,整个一个撒‘西施兰’的主儿,谁招一回泡三宿澡堂搓出血来也去不掉味儿，那得就着葱蘸着酱闭着眼才能往下咽。”

王匡林说他是几年前在一个舞会上把刘炎捡来的，“到今儿还悔”。我拿出照片让他看一眼再说，别搞错人。他瞄了眼照片说没错就是她。“瞅她那德行”。他说那次本是他办的一个挺高雅的舞会，来的都是师以上干部，一个叫“五粮液”的姑娘把刘炎带来，“她当我是开委托行的呢”。当时黑灯瞎火烟雾腾腾看不清闻不着的他把刘炎当天仙了。

我正跳得翩翩的，瘸子说，“五粮液”把刘炎杵我怀里说交给我了。刘炎就跟咱腻小膏药似的贴上了，她跟咱说佛拉芒语。比利时咱熟啊，跟咱说佛拉芒语那不等于跟咱说家乡话？咱就跟她对说看谁说的溜儿。她见咱会佛拉芒又改希伯来了。咱老家哪儿开封有根儿您算碰上正宗儿了。希伯来完了是闽南，闽南完了是傈僳。后来我急了，咱这是跳舞呢还是练鸟叫呢——你到底是什么鸟变的直说不就完了。她臊了，吭哧半天才说还是咱老北京，八国联军进城时也没留人在家。我说中国人别来这套假装是洋蛋孵的挺光荣。干吗呀，咱比谁差？就说我们姓王的，东汉时代皇后，成捆皇上全是我们生的，末了江山也姓了王，我们说什么了我说什么了还不是忍着，有没有身份不在那个。后来有一次我在魏公村左近碰见她，那儿不是有几个歌舞团吗，她也弄得跟演员似的在街上逛，见到我在菜市场门口就谈起音乐提这个提那个假装跟文艺界的人特熟。我实在不可名状，就说，噢原来音乐就是这个。我早知道不过叫法不同：你们叫音乐，我们叫鸡插。

这时我插进去问：“你和刘炎前前后后有多长？是在哪年？这期间你知道的她都和谁来往多？”

“没多久。”瘸子说，“这种人几次还不够，我一条腿不好第二条腿也不能使坏了。不过该怎么说就怎么说，刘炎活儿还是不错。”瘸子淫亵地眨眨眼，“真会伺候人。”

“活儿好。”我点头赞同，“你不知道她后来又跟了谁吗？”

“不是跟你了嘛。”瘸子突然说，“你当她是全封式打火机呢，你使完别人再灌不了气儿——她跟的人多了，甭数那个，你既不是头一个也不是最后一个，操这份心没完。女人全一样，掏掏灰扑落扑落脏打遍漆扣上‘美的因拆呐’就当新的卖了。”

“我不是这意思。”我说，“我不想打听她先后有谁，我是想问你知道不知道她是怎么跟我认识的？”

“这话我不明白了。”瘸 × 警觉地看看我，“你把话说明白还是话里有话告诉我这话怎么讲？你问知不知道你们是怎么认识的？”

“是的，”我神经质地笑，“我想知道我全忘了这里还联着别的事我……”我一时语无伦次。

“你们，你，是在广州和她认识的。”瘸子仍然警惕得像只正跑着发现地中间有块肉的狐狸，既想不通为什么肉摆在这儿又看不出周围有什么危险，“你们那会儿正在广州各宾馆假装谈生意实际上滚港客的包，挨间推门哪门不锁就进去席卷一空；骗服务员钥匙留宿港客房中半夜穿上港客衣服蹬上港客皮鞋拎上港客箱子开溜，你香港脚臭胳肢窝不全是那会儿染上的。你们那会儿成王道了；骗吃骗喝骗姑娘打黑棍仙人跳就差往港客脖子上挂手榴弹了。”

“我还干过这事？”我笑着说，“我怎么全不记得了？”

“刘炎是自己飞到广州去的，据她讲是为了响应叶委员长的九点声明为海峡两岸扩大交流以身作则‘三通’变四通成立‘台湾同胞流动接待站’。你们在白云机场候机楼相遇。你去买昆明的飞机票，她去机场送国民党特务，人群中互相听到乡音倍感亲切，机场休息室坐着谈了很久，后来一起走了，两人眉开眼笑。”

“当时你在哪儿？这一切就像你亲眼看见，可我对你没印象。”

“你是对我没印象。你没看见我，可我看见你们了，我就坐在你们不远处。刘炎看见了我，你没发现她和你谈话时频频向我这边看？其实你注意到了，你还顺着她的视线也往我这边看了一眼，不过你不认识我，所以没印象。”

“后来呢？”

“后来得问你呀，后来是你和她在一起而不是我。你、高洋、许逊、汪若海还有高晋成天在一起，你们的事你们最清楚。你们见了我连招呼都不打，你还情有可原本来不认识，高晋、许逊我可没少帮他们办事，还有汪若海见了我也跟不认识一样。不过我不在乎，我有我的事。”

“你是说高晋、许逊他们也见过刘炎？”

“你到底跟我打的什么仗哥们儿？放心，你的事我不感兴趣。你要找刘炎就去找‘五粮液’，她们俩是一对脏，互相的事全知道，跟我兜圈子是瞎耽误工夫。”

我再问什么，瘸子全不说了，一再推说不知道。我问他“五粮液”的地址他也不说，让我自个打听去。“‘五粮液’问谁谁都知道”。我问瘸子近几年、最近听没听到刘炎的信儿，瘸子说听说过前一阵有人见着她和汪若海在“十渡”山上站着，还有人看见高晋和她在官厅水库中间蝶泳。这话我不太信，因为我知道汪若海大刑刚上来，在喀喇昆仑山见着他还差不多，不可能立在“十渡”山上；而高晋以他现在的职务和心态根本无法想象他有闲情逸致去拈花惹草，尽管他的确会蝶泳，但要在官厅水库蝶泳非得是刚从直升飞机跳下来。我想瘸 × 是开始和我打岔了。瘸 × 和刘会元聊起别的，他对刘会元说，那边坐着的一个女的特有戏老往这边看，你信不信我一勾搭就能把她勾搭过来。我们往不远处一张餐桌上看，果然有个风姿绰约的女子独坐桌旁摆着筷子等菜。瘸 × 抖擞精神整理西服，刘会元说别别惹事。瘸 × 说惹什么事你们胆太小，随即有魅力地笑原地坐着不动冲那女的说“你过来我有话跟你说”。我想着自己的事没太注意下边的过程，待我重新抬起头时一条大汉已经像座山似的移到瘸 × 面前：“你有什么话跟我说。”瘸 × 坐着蹭胳膊挽袖子：“怎么着碴架呀？”大汉哪吃这个，揪着瘸 × 脖领子拎小鸡似的举起来：“你骨头痒痒了吧？”我和刘会元忙站起来拉架：“别动手别动手。”刘会元小声对大汉说：“我们这位同志有毛病，刚从安定医院出来。”大汉把瘸子往地上重重一蹾骂骂咧咧：“瞧你德行还跟这儿起腻呢。”瘸子踉跄一下重又坐回凳子。“我让你俩。”大汉又冲了过来，我们忙挡在中间连劝带说。瘸子还嚷：“别拦着我，我让他欲哭无泪。”“你要再这么着我们可就不管了。”我说瘸子。“你要管你都是孙子。”瘸子骂我。刘会元一拉我：“走，甭理丫的。”我和刘会元走出餐馆，听到瘸子在里面杀猪似的叫。

“瘸 × 说的还真惊心动魄。”在街上我干笑着对刘会元说。

刘会元瞅着我，微微笑：“看来你隐藏得还挺深。”

“啊，”我抬头挺胸，“我也没想到我过去那么了得，敢情咱也走过黑道，我还以为我这辈子一直就这么窝窝囊囊，原来也出息过也骑过人。”

“这么说瘸 × 说的是真的了？”

“他那么说全是亲眼看见，我也只好认为是真的了。不过那钱呢？当年咱打土豪弄来的浮财呢？咱怎么还是穷光蛋呀，一点享受过的印象都没有？”

“刘炎呢，这你倾向于相信李奎东还是瘸子？”

“这我不信瘸子的，我这人一向从不招脏惹腻。”

和刘会元分手后，我在路边一家电影院买了张票，进去坐着，在黑暗里胡思乱想。

银幕上演的是部外国悬疑片：一个彬彬有礼的男人在两个各具风姿的女人之间穿梭。片子放过无数次，彩色已经有些黯淡还不停出现各种明灭的斑点和划痕，整个片子像是雨后天晴，一些衣着华丽的男女在遥远的异国的花园洋房里说着莫名其妙的话。我神不守舍，片子看的断断续续：一个男人在海里驾驶帆船，一个女人在岸上注视着他；小汽车在雨中疾驶，亮着灯光的别墅中有一男一女的对话传出：空无一人的卧室，被子拖在地毯上；人们在窃窃私语间杂有隐隐的音乐；机场大厅内人群在走动，一个穿风衣的年轻妇女站在人群中凝视着画外……我想象着我在同样嘈杂宽阔的机场大厅里和刘炎相遇的样子。我同值机室的女工作人员说完话转过身来，视线穿过人群和站在那里向这边望的刘炎的视线相遇，她粲然一笑，另一端的沙发坐着的瘸子正好抬起头看到我穿过大厅向刘炎走去。我们眉飞色舞地说话，然后一同走到一旁坐下继续眉飞色舞地交谈。刘炎主要是听，偶尔说上一句我哈哈大笑。穿礼服长裙的外国男女在一间摆着烛台鲜花的私人餐室的长桌周围就座，男士为女士摆椅……我们一伙和刘炎说笑着在一间长阔的大餐厅的一张张餐桌旁穿过，正坐在一张餐桌旁的瘸子抬头看着我们一个个走过谁也没理他。我们在餐厅远处的一张桌旁围坐，我不时欠身起来为刘炎递东西……银幕上的人在饭店的走廊里走，我们也在饭店的走廊里走；银幕上的人进房间坐下，我们也进房间坐下；银幕上的人上床我们也上床，也叠在一起也呻吟窗帘也飘动……电影完了，影院顶穹的无数只灯一齐泻下橙色的光芒，我坐在原处，相当愤怒。这不是我和刘炎的故事，当然我们也如同他人一起吃饭一起聊天一起上床，但这一切决不会笼罩在某种罪行的氛围下。我相信我和刘炎是在人群中相识，众目睽睽之下的偶一回眸，但我同样相信斯时斯地我绝笑不出来……我拿出照片，看着相隔久远的年代一动不动垂着眼睛坐在昏暗的角落里的刘炎，我心里清楚，当我在爱的时候我同平时会判若两人的——除非本来就是扯谈。

走出电影院，我脑子里只有一个抹不掉的场面：我独自一人在一个昏暗的套房里摆着一张张扑克牌，周围静得像没有人。我猛地站起拉开套间门，另一间屋内，惨白的灯光下，整整齐齐坐着高晋、许逊、汪若海、乔乔和刘炎——瘸子背对人站在墙旮旯。

十二

楼下树旁停着一辆后开门的北京吉普，这辆车在这儿停了很久了，车里有人吸烟，时而亮起一颗红红的烟头。尽管这辆车没有标志，明眼人也能认出这是辆警车。夜色如墨，遥远的天际有几颗微弱的星辰，对面楼上的人家全在看电视，几乎隔几扇窗户便有一间屋里荧光闪闪。楼道里很暗很静，楼道灯的定时开关上的绿荧光熠熠发亮，电视里的人物对白声和其他音响从楼里住户的门底逸出，萦回在漆黑的楼道里，有人在激烈地争吵有人在哭泣还有人在哈哈大笑，各个频道上的人物正处在不同的情绪中。

这时，楼里一扇门打开了，楼里顿时响起几个人的高声话语，接着一阵纷乱的脚步声下楼而去——那三个找过我的警察从楼门里鱼贯而出，走向吉普车。一个男人送他们到车前，和他们笑着说着什么，三个警察分头上了车，车门乒乓关上，吉普车开走了。那个人转身往楼里走，楼里响起他慢腾腾地上楼脚步声。我从楼上下来，在他家门口看着他一步步走上来。

“你怎么在这儿？”汪若海抬头看见我，毫不吃惊，“警察刚走。”

“知道，我看着他们走了才下来的。”我笑着说。

汪若海往黑漆漆的楼道上面看了一眼，打开门，“你一直待在楼道里？”

“不，我刚飞进来，你们聊的时候我也正在你们头顶上和吴刚聊，美国人把国旗插在他和嫦娥的菜园子里了，嫦娥正和美国人吵。”

汪若海的屋里也正开着电视，但音量开关被推到头没有一点声音，只有画面在不停地变换忽明忽暗。那是一场夏天的欧洲足球杯比赛，看台上的白种男女都穿着花花绿绿的背心短裤戴着墨镜，又跳又叫又鼓掌又吹口哨无声无息地在欢闹。

“你们挺熟是吗？”

“里面那个老家伙是当年处理过我的厮们之一。”

“那么说，现在这事还是和当年发生过的事有联系？”

“这是比较笨的警察的看法，他们总是认为所有的事都互为因果。”

“咱们当年真不讲理对吗？国家已经宣布不打仗了，共存共荣了，咱们还是当兵的脾气，见着资产阶级就压不住火儿，不打不舒坦。”

“什么乱七八糟的？”汪若海瞪着我，“你是不是刚才正和吴刚侃这些，这会儿还刹不住车呢。”

“咱们是不是订过纪律，自己对自己都得保密，自个也不能知道自个在干什么——这可是头一份儿的铁的纪律。”

“我可没参加过你的反动会道门，你干吗不说咱们喝过鸡血？”

“这就对了，就得这样，谁问咱都告不知道，要没这种精神，咱早让人一窝端了。你受苦了，这么多事让你一人扛着委屈这么多年滋味一定不好受吧？”

“你是不是别进公安局改进精神病院得啦。”汪若海俯身凑近我，“不是，你干吗呀？你放着好孩子不当非要当强盗，自个往自个脑袋上扣屎盆子。我倒霉是我罪有应得，你好好的何必自找？没你事，我们紧着为你开脱，你还紧着往里钻，你是不是当真活腻了？”

“不是，我觉得好汉做事好汉当。”

“虚荣心。”汪若海走开，回过头盯着我，“你这虚荣心也忒不是地方了。”

“干吗有我你非说没我？”我也着急上火地说，“是不是我一直是外围成员？你们也太不把我当自己人了。”我相当难过。

“好好，你是核心，你是中坚。”汪若海腻歪地瞧着我，“我看你是有病。”

我笑：“跟你逗着玩呢，这又不是差额选举选上了扬眉吐气选不上丢人。说正经的，我也特同意你的观点，过去的事就让它过去，当时没逮着咱们过后逮着了咱也不认账，我跟别人也都这么说。”

汪若海嘬了下牙花子，扭头看电视。

我笑着撵着他说：“不过这件事我完全无辜这倒是真的。那女的我摸着了，就是上次我跟你说过的那女的，你愣告没这人，现在咱找着照片了，你还记不记得那会儿和咱们在一起的女的里有个叫刘炎的？”

汪若海背着手看着电视沉默半天，“不记得了。”

“看看照片。”我掏出照片递给汪若海，“有人可说你认得她，那会儿她老参加咱们的活动。”

汪若海接过照片扫了一眼，面无表情地还给我。“没印象。”

“怎么可能？”我小心翼翼地把照片收起来，“她和咱们一起吃过饭一起聊过天也许还一起上过床。明明是高鼻眍眼的美人你偏说人家是扁平疣，为什么？为什么这么多年谁也不提她？我提她，你们还个个跟我打岔儿，她和我到底怎么啦？是不是个让人断肠的故事？别管我，别怕我伤心，事情过了这么多年，我会很坚强的。”

汪若海看我一眼，叹口气：“我真羡慕你，你怎么总能保持那么好的自我感觉，听着真叫人感动。”汪若海在沙发上坐下，“既然你认定这个女的是你的‘情儿’，那你应该比我清楚你们俩的事，老是向我打听这我就不懂了。”

“我不是忘了嘛。”我也笑嘻嘻地在沙发上坐下，“俗话说好马不吃回头草，不不，这意思不贴切，好汉不吃……也不对，我也表达不清了，就是那意思，不堪回首之类的。她是不是死了？”我严肃地说，“要知道殉情的事是经常发生的。”

“不知道。”汪若海懒洋洋地说，“你不记得我就更不记得了。”

这时，电视镜头从足球场上拉到看台上摇到一个美滋滋的金发女郎的身上停住。金发女郎向镜头转过她戴着大墨镜的脸抬起手向画外招。我也向她举起手抬了一下：“回见。”

“你听说过‘五粮液’吗？”我问汪若海。

“当然。”

“知道在哪儿能找着吗？”

“掏钱呗，只要肯花钱，哪儿都能买着。”

“我说的是个人，一个女的。算了，看来你也不知道。”

“我不知道。”

“你什么都不知道。高晋、许逊会知道吗？”

“不知道。”

电话铃响了，在黑暗中很震耳。我拿起话筒递给汪若海，他耳朵紧贴着话筒不做声。电话里有一个人说了半天，汪若海说：“我去不了。”电话里的人又说了半天，他连连说“不是”。然后稍停，冷漠地说：“在。”对方立即挂上了电话，汪若海则又举了会儿话筒才慢慢挂上。

“生活的路啊，怎么这样难？”

汪若海看着我，片刻，垂下眼睛。

“你是不是觉得我特烦？”我站起来，双手插在裤兜里，在屋内慢慢地兜着圈子，嘴里哼着小曲：“啊，爱拉浮油，不知你是否欧爱我……”

“我也觉得自己特烦。”我笑着看汪若海，“这些年我简直成了个事儿 × 篓子。疑心特重，老觉得别人想害我。别人说什么我都不信，说的越肯定我就越打折扣。可能真像你说的是有病。这真不好，我自己也觉得不好但改不了。好在这是个毛病我也承认，了解我的人一般都不会跟我计较，只当我这人混蛋吧。”

我把电视的音量开关推到最大，屋里立刻充满足球场上的喧闹声：解说员在上气不接下气地评论；看台上人声如潮夹着裁判的哨音和时断时续的喇叭声。

“咱们那年从南边回来就开始疏远了吧？”我看着汪若海，保持着微笑，“咱们中间出了什么事？我做了对不起你们的事吗？为什么你们那时就开始老躲着我？”

“没有。”汪若海闷闷不乐地说，“你想到哪儿去了，没人躲着你。大家都工作了，各有各的事。”

“咱们互相都说点实话好吗？下不为例。咱们也是多年的哥们儿了，就是不当哥们儿了也可以直来直去地谈一些事。”

“你找我真是找错人了。”汪若海说，“这件事说实在我也就是旁观者，我没什么内疚的，你也不必对我搞神经战，不起作用。你很清楚出了什么事，你要觉得我有责任想报复我，我也不说什么，反正不管你对我怎么样，我是不会动你一指头的。”

“你说的什么呀？”我笑，“什么事我要报复你？”

汪若海一言不发。

“你倒是把话说清楚。”

“我这话还不够清楚？”汪若海说，“谁也不是傻子，你以为高洋死了谁都不知道怎么死的？算了吧，我看你算了吧，高洋反正也死了就到此为止吧，何苦非把所有哥们儿都毁了，那事已经过去这么多年什么深仇大恨也该消了。”

这时，我在电视的一片喧嚣声中听到单元门锁上轻微的钥匙转动声，接着，一个女人的声音在门厅里响起：“怎么把电视开这么大声，一进楼道就听得一清二楚——警察走了？”那女人走进屋。

我把电视音量开关推到无声，在一闪一闪的荧光下，我、汪若海、乔乔三个人的脸都铁青。乔乔手里抱着一个很小的头上扎着蝴蝶结的女孩儿，她弯腰把孩子放到地上，小姑娘蹒跚走着，张开两手扑到汪若海怀里，嘴里叫着：“爸、爸。”汪若海紧紧抱了抱她，亲她的脸。小姑娘在汪若海怀里扭过脸瞧我，两只眼睛又黑又亮，我想黑葡萄般的眼睛只能用来形容孩子，成年人一概不配。我看着小姑娘惨笑，对汪若海和乔乔说：“我走了。”

“不，别走。”汪若海抱着小姑娘站起来，对乔乔说。“把该告诉的都告诉他，我去那屋哄妞妞睡觉。”

“我们结婚有两年了。”

“真好，真的。”

汪若海抱着孩子走了，我们把电视关了，开了灯，隔着个茶几各自坐在一只单人沙发上，眼睛都看着对面的书柜。

“从哪儿说起呀？”乔乔偏过脸问我。

"不知道，我也不知道。"我看着对面书柜玻璃里一排排书脊上黑体字的书名，每本紧紧合着的书里都有一个杜撰的动人故事。

"我没有在昆明看见过你。"乔乔看着自己搭在一起的脚尖说。"我只是在一家饭店的旅客住宿登记簿上看到你和高洋的名字。我去你们房间只见到了高洋，他说你出去了，可当时卫生间里有一个人躲着不出来，我就认为是你。现在看来也可能不是你而是另一个人；那家饭店的登记手续很马虎，随便找个介绍信胡乱填个人名就能住。"

"我们当时都干了些什么？"

"这我也说不上。你知道当时我也只是和你们一起玩，我又是女的，你们的事不会告诉我，我也不想打听。说实话，当时我在你们那群人里还是外人，虽然天天在一起，嘻嘻哈哈，但咱们互相没有怎么聊过，谁也不了解谁。"

"……"

"我印象里你比较老实，见女人说话都脸红。汪若海和许逊也不错，没心没肺，嚷嚷的凶嘴比谁都荤，可真也没见他们干了什么，没事就待在宾馆里打扑克。高洋那人也可以，爱吹爱交际，谁都认识，来找他的人也比较多。最阴的就是高晋，不哼不哈最不显最有主意，动不动就一个人出去了半夜才回来没事一样，要说你们几个有人在暗地鼓捣什么我看也只有高晋了，他最可疑。有件事我印象很深，一天晚上我去别的宾馆玩，看见高洋正和一帮华人坐在酒吧喝酒，眉飞色舞地和人家瞎侃，许逊和汪若海也在那家宾馆里玩，换了一大堆钢镚儿在门厅的电子游戏机前大战外星人，得了手便互相嘿嘿乐，唯独不见你和高晋。后来我一人上楼去，在顶层客房走廊看见高晋拎着一只带密码锁的皮箱从一个房间轻手轻脚出来，看到我便怔住了。我刚想和他打招呼，他理也没理我便从楼梯下去了——没走电梯。我下楼后想找许逊、汪若海，他们也不见了，唯有高洋仍在那儿不歇气儿地神聊。我回到咱们住的宾馆，许逊、汪若海早回来了，正在房间里傻乐，也不知乐什么呢。高晋过了很久一直到半夜才和高洋一前一后回来，我听见他们在他们的房间里还嘀嘀咕咕说了半天话。”

“我呢？那天晚上你没看见我吗？”

“看见了，你一直待在你的房间里，我想去找你，汪若海不让，说你在房里‘有事’。我以为你是和夏红在一起，还去推了次门。门没锁，一推就开了，我看一眼吓得立刻带上门跑回来了。”

“我在干吗？”

“你在哭，房里还有一个女人，不过不是夏红，那女的我没见过。”

“我在哭？”

“是的，你哭得很厉害。当时屋里很暗，拉着窗帘开着一盏台灯。你边哭边说，说什么我没听清，当时我们都知道你在谈恋爱，为这事儿我们没少在背后取笑你。”

我取出照片：“是她吗？”

“不，”乔乔把照片还给我，“那女的我没见过。”

“那么，这女的你见过了？”

“是的。”乔乔说，“她不和我们住在一起，但有时吃饭能遇见她。”

“她，照片上这个女的是不是叫刘炎？”

“不，”乔乔哦吟片刻说，“她不是刘炎？”

“谁是刘炎？”

我看着乔乔，乔乔也看着我。

“她不叫刘炎。”

“她叫什么？”

“不知道。”乔乔摇摇头。

我垂头看着照片出神，照片上的女子无动于衷。

“你还记得什么？”

“我记得那以后不久，你就走了，离开我们先走了，他们说你是和你的‘情儿’一起走的。”

“我先走？不是高洋先走？那咱们最后一次吃饭是怎么回事？”

“那件事咱们都搞错了。”乔乔说，“关于最后一次吃饭咱们互相说的不是一回事，那是两次，在同一个酒家的两次送别宴。第一次送你八个人，第二次送高洋七个人没你，所以谁也不记得你跟谁走，以为你和高洋走了。其实那次饭后和高洋一起走后再也没露面的是那个穿条格衬衫的人。你根本不在那次的饭桌上，那时你大概已经回到北京了，你不但不是最后一个见到高洋的人反而是最先和他分手的，如果你没有又折到昆明去的话。”

“如果我折到昆明去的话，你在昆明就会看到三个人。你记不记得那个穿条格衬衫的人叫什么名字？”

“姓冯，叫冯小刚。”乔乔吐字清楚地说。

“你没在旅馆登记簿上看到这个名字？”

“没有，如果看到我会有印象的。”

“他是哪儿的你不知道吧——这冯小刚？”

“不知道。听口音是北京口音，但我从没见过他。我记住他是因为他和电视艺术中心的一个美工同名，那个冯小刚经常客串越南军官犯罪分子什么的——长得也像。”

“走了。”我站起来，“顺便问一问，你听说过‘五粮液’吗？”

“没有。”乔乔眨眨眼说。

我笑："我说的是酒。"

乔乔也笑："你又开玩笑了。"

"你女儿，"我走到门口，回过头说，"像你。"

乔乔掩饰不住自豪地笑："别怪汪若海，其实他也是老实人，让人当枪使，要不也不会蹲那么多年。"

那天夜里百姗家灯火通明人影倏晃，我一进胡同口就看见夜空中那一排明亮的窗户像是有很多人在里面狂舞或翻箱倒柜。

我走进楼道也听见上面嘈乱的人声和纷乱的音乐，但当我敲门时这一切就蓦地消逝了，屋里只有李江云一个人，一切物品井然有序原封未动。李江云冲我笑，笑得很动人。她说她在等我，既然我安然无恙地回来了她也就该走了。我说你不能走，今晚不行，今晚我需要和人在一起，今晚我心情寂寞。这时那声音并没有完全消逝，只是微弱了仍滞留在这套房子的各个角落，只要我们闭上嘴不说话，便稠稠地飘动起来，不同年龄不同性别的人用不同的音频窃窃私语，时而朗笑，时而哭泣夹杂着时断时续的音乐，椅子倒地的咕咚声和火柴擦磷纸的嘶啦声以及瓷器相碰的叮当声，开门关门脚步走路水龙头流水等等就像一盘录下某年某月某间房内发生过的一切的录音带正在转动。

我边脱衣服边对李江云说这是一间有记忆的房屋对不对？这间屋里发生过什么凄恻感人的故事？故事的主人公们现在哪里？李江云说主人公们已忘了自己来过这间屋子，那记忆只存在这间屋子的砖缝里了。每逢天阴或有大风会有一些回声。我脱光膀子簌簌发抖地问李江云那时我在哪儿那时你在哪儿。那时你在天空那时我在沼泽。李江云说，忘了吗那时碧天如洗一览无余你我都无色透明。想起来了我笑着说，轻风吹过我的脸，你我紧挨在一起沉甸甸地弯下腰，田野金黄，你我吸天地之雨露日月之精华在同一个麦穗上分蘖，随后分头脱粒分头装袋分头磨面分头吃下分头循环分头分泌——敢情咱们原来是熟人。我过去拉李江云，既然熟门熟路那也就没什么不好意思的。李江云任我拉着手就是不起身。我可真是引狼入室。李江云笑问，难道真的在劫难逃？我掉头爬上床披着被子盘腿坐在床上对李江云说："放心，我有艾滋病，不会昧着良心传播的。"

"你倒也配。"李江云笑着说，"那是洋人的长技。"

"我们坐一宿吧。"我郑重地建议。

"那倒用不着。"李江云笑，"戒烟不在吃不吃戒烟糖。"

李江云大方地脱衣服，灯下我看到她紧身穿着一件暗红色的毛衣，随之，灯熄了，屋里一片漆黑，只有窗帘被月光透射现出剔透的花纹图案。

出于礼貌，就寝后我把手轻轻搭过去。她握了握我的手然后推开："谢谢。"

"和蛇待在笼子里就这劲儿吧？"我裹紧被筒小声嘟哝。

一只冰凉的脚伸进我被窝，我一哆嗦，另一只脚也伸了进来。这只脚同样冰凉。

当我们的喘息都平稳、均匀了后，我听见一种近似箫的音色的长笛声远远传来，随着风向的变换忽强忽弱，慢慢渗进屋内停在窗上幽幽地萦回不已。那些声音又回来了，像一根根弦接连绷断，铮然作响后在寂静中余吾袅袅。

我好像在酣睡，又好像从床上坐了起来，循声赤脚走到外屋。外屋仍是灯光雪亮，一个脸上有鲜红蝴蝶斑的女子在那里打电话。她一遍遍拨着号盘举着话筒长时间地等待对方接电话，嘟——

嘟——的电话音在整套房子里回荡，那节奏就像是一个巨大的心脏在我耳边跳动。我好像并没有开口同她说话。她也没看我一眼，但不知怎么就像是有人在说话。我似乎知道她是在给一男人打电话，那是她从前的男友留下来的一个号码，她很久以来就一直在夜里拨这个号码，却总是通了没人接。房间里有个声音老在说着一句话，那句话像是我对那女人说的又像是那女人对我说的。那声音不断重复这句话，瓮声瓮气，愈来愈扩大，仿佛有一张巨大的脸对着麦克风正念着，唱针不走了唱盘在原位一圈圈地转着。我回到了卧室又像是仍在明亮的外屋站着，那女人仍在等人接电话，那声音仍在屋内回荡。我躺在李江云身边睡着，室内晦暗，那个女人站在床边看我，脸上的蝴蝶斑就是黑暗中也十分鲜红。她躺到了我和李江云之间，我想赶她走又似乎无动于衷。她把手伸向我的脸，我看着那张开的手掌一点点逼近，我从被窝里伸出手握住那只手。那只手从小臂那儿断开了像胶粘的假手从原断裂处脱开了。那个声音仍在无休止地重复着那句单调的话，直到天明，我从床上醒来，那女人那断手那声音才一起倏然而逝。

阳光充满室内，李江云已不知去向，我独自躺在床上想着那句话，梦境已模糊，但这句话格外清晰：“在你身上有一种我熟悉的东西。”

我起身走到外屋，百姗卧室的门紧紧关着，我推了推，门是锁着的。

那天，我盘腿坐在床上哭了很久，鼻涕一把泪一把。

十三

“瘸子说，刘炎的样子已经变了，他完全是凭直觉一把薅住了她，薅住了才打量，要不是咱们刚找过他很可能对脸走过去认不出来。”

我和刘会元在街上匆匆地走，阳光照在路边公园的冰面上水淋淋。一些滑冰的人在水淋淋的冰面上战战兢兢地滑，像一群没大人领着的蹒跚学步的孩子。今年暖冬，时常听说有滑冰者掉进冰窟窿。

“瘸子也够能耐的，他要再不瘸非成了精。”

“他要不瘸那也天理不容。”我笑着说，“我倒非常关心他是不是被彻底打残废了。”

“你认为刘炎会不会还记得那些事？她若也像你一样全忘了那就有好戏了。”

“那我就找一个最近的茅坑，一头扎进去——我还活什么劲儿？”

“你真的，嗯，‘耐’过她？”刘会元瞧着我笑，“一想到你居然还有过这种经历我就觉得有意思。”

“咱们不含糊，”我兴冲冲地往前走，“当年咱们也轰轰烈烈过。”

我一进瘸子的窝就发觉中了圈套。屋里有很多人，都像在等我。瘸子十分得意，小脸光溜溜的没留下受过茶毒的痕迹，笑着说：“哥们儿你们那天忒不仗义了。”

一个相当面熟的男子站了起来，我看到这屋人里没有刘炎。

“可惜你们没看见我怎么抽那胖厮的。”瘸子笑说，“打得那惨，真是惨不忍睹。”

“人在哪儿呢？”刘会元还问。我已经认出这男子就是曾在街上跟过我的那个穿黑皮大衣的人——黑皮大衣就扔在沙发上。

“人在哪儿呢？”瘸子笑眯眯地问黑皮大衣。然后又对我们说，“他知道。”

黑皮大衣笑着说：“你找她，她也正在找你，我看你们谁也别费劲了，我全替你们办了。”

“瘸子，”我冲瘸子点头，“咱们这辈子还见呢。”

“不见了，”瘸子冲我摆着手，“见不着了。”

“怎么回事？”刘会元冲瘸子嚷，“我们来这儿可不是看糙爷们儿的。”

“没咱们的事。”瘸子拉着刘会元，“咱们到那屋去，我给你看看瘸爷心爱的东西。”

“躲开，别拽我。”刘会元甩了瘸子一个趔趄。

这时，坐在一边两个满脸横肉的汉子噌地站了起来。一看他们，我笑了，这俩汉子坐着十分唬人，上身宽大，但一站起来却只到我膈肢窝，一个 O 形腿一个 X 形腿。很快，我就不笑了，这俩汉子各抽出一把垫在屁股底下的刀，那刀恨不得比他们俩都个儿高，那是日本兵在二次世界大战时步枪上用的“三八”刺刀，一把顶住我腰眼一把顶住刘会元，我纳闷地说：

“什么时候警察也都带叉子了。”

“警察？”黑皮大衣怔了一下说，“别打岔，这会儿你就是按快门警察也来不了。”

“别用劲儿别用劲儿。”我仰弓着身子往前走，不满地说，“尖儿都扎着肉儿了。”我对黑皮大衣说，“你管管他们，咱们有什么说什么，不带上刑的。”

“讲理？讲理就好，我这人一向喜欢讲理，咱又不是粗人。”黑皮大衣对他手下的汉子说，“悠着点，这是咱的客人。”

“我没用劲。”汉子在我身后分辩。

“你得想着他比你个高，你没用劲他已经透了。”黑皮大衣白了汉子一眼，又满脸是笑地对我说，“坐吧，既然和和气气的，那咱们都和和气气的。”

汉子们都收了刀，继续站在一旁。

我坐下，看了一眼那两个汉子又忍不住想笑，那刺刀竟可以像指挥刀一样被他们双手扶柄杵地站着。

“你怎么净用的是这种人？”我问黑皮大衣，“漂亮点的流氓没有？”

黑皮大衣脸刷地红了，挥挥手，对那两个汉子说：“你们到那屋去吧。”

“走走，咱们也走。”瘸子拉着刘会元跟着凶神恶煞的汉子们进了里屋。

“这都是瘸子的哥们儿，”汉子们走后，黑皮大衣对我说，“我也觉得特不体面。”

我低头闷了会儿，想装作特内行，又不知道黑话该怎么说，半天，才说，“你们哪部分的？”

黑皮大衣一抱拳：“高高山上一头牛。”

我久久瞅着他，迟疑地说：“两个凡是三棵树！”

黑皮大衣也愣了，半天回不过味儿，末了说：“你辈分比我高。”

我得意地笑了。

“那我就得罪了。”

“得罪吧，没关系。”我好脾气地说，“到底怎么回事？你们舞刀弄枪的，成立义和团呀？”

“既然都是组织的人，我也跟你明说吧。”黑皮大衣说，“其实我也说过她，别把人都想成坏人，老爷们儿怎么会昧你的钱？一时缺，借些，早晚会还，狠心也就是说说，中国人——哪个不仁义？”

“我借谁钱了？”

“不怪你，”黑皮大衣说，“你哪知道那姑娘认识我呀是吧？你要知道了也不会这样。我就跟那姑娘说了，放心，方言，我们都是朋友，一句话。”

“那姑娘在哪儿呢？”我说，“她叫刘炎？”

“叫什么我还真说不上，你管她叫什么呢？人名还不就是穿戴，高兴怎么换就怎么换，耳屎还叫耵聍呢，咱说的就是这事。”

黑皮大衣把两手食指含进嘴里打了个极响的胡哨，一个姑娘从里屋出来。我感兴趣地看着她，这姑娘打扮得就像要去什么“风采美大赛”报名处。进了屋就东寻西嗅地转着眼珠找人。

“看来这记性不是我一人不好。”我对姑娘说。“别找了，你找的就是我。”

“你？”姑娘看着我，风骚地笑了，“别逗了。”

“怎么是逗？”我没言语，黑皮大衣先急了，“你找方言我们给你找来了。别害怕，是他，你就说是他，有我哪。”

“他怎么可能是方言？”姑娘上下打量着我，“方言怎么会是他？人家穿的可是英国‘快扒’。”

“真侮辱。”我笑着站起来，“那要不是我，我可就跟你没完了。”

“我什么时候借你的钱？”我走近问姑娘。

“错了。”黑皮大衣忙拦住我，“算了算了，这事错了。诳了她钱的是另一个人。”

“问清楚吧。”我推开黑皮大衣，“我不想把这姑娘怎么着，就想问问。我还真没觉得这姑娘斑斓。”

“错了还有什么可问的？”黑皮大衣又挡住我，“问我。”

“没你的事。”我说，“是那个方言的事，我想打听打听。这事怪有意思的，还有一个方言，是吧，款姐儿？”

我让黑皮坐下，微笑着，听听故事。“这事我比你感兴趣，”我对姑娘说，“那个方言也欠我一笔钱。”

“我是在友谊商店门口认识方言的。”姑娘讲。那个方言又高又胖小平头戴副黑框眼镜，她把他当日本人了。她对他用日语说希望跟他兑换些日元外汇券或他身上有的其他什么，总而言之用她的特产换他的特产。他对姑娘用汉语说跟我讲中国话，我听得懂，你讲日语我反而懵懂，总而言之装的像个大尾巴狼。我把他当成日本的中国油子了，姑娘惭愧地说他叫我跟他一起坐出租车走，我答应了。他说他叫方言太郎。这个方言太郎自称是一半一半，父本中国母本东洋。所以日本中国的猫儿腻全知道，满口的北京土话连我都听着不明白，没两下子就被他哨晕了。姑娘跟他坐饭店泡酒吧进宾馆客房该干的全没省略，发现这位即便不是日本人也是个地地道道的国际“大款”，出手大方服装考究贴身总是一百二十支纱的高级条格衬衫。

他很古怪从来不在一个饭店住一夜以上，像个不停跋涉的旅人却又漫无目的，从未见他办过什么正经事和什么人接触，只是终日东游西逛。他不喝酒，烟抽得很凶，到任何地方都是贴边走贴边坐不停地觑视周围的人。有一次他在睡觉，我闲着没事戴他放在桌上的眼镜玩，发现这是一架平光镜，可他鼻侧已经深深留下了镜架的印迹。他对北京很熟，有时风大天寒，他就叫上一辆出租车在城里转，指点司机穿各种各样的小胡同在一些地方停下来看很长时间行人，那都是些普普通通的居民区而他看的却是那么专注默不作声，甚至一而再再而三地去看我。想起码有一次他眼里有泪水，他告诉我，这都是他父亲过去住过的地方。

有一次我午睡起来发觉他不在，便自己下楼去饭店商店区逛，路过一个酒吧时看见他和一个男人坐在一起。我逛了一圈回来后，他们仍坐在一起。我从他身后走近他们坐到他们邻桌想听听他们谈什么。他们却很长时间一句话不说，就那么坐着。我不知道这男人是他什么人，显然这男人常来这家饭店，所有服务员都认识他而且毕恭毕敬。我想他也一定很有钱。

我离开酒吧走出很远回了一下头，发现方言太郎隔着玻璃幕墙盯着我，他的目光很冷漠。

隔了不久，我又接了一个电话，是个男人打的，问了句“方言吗”，我刚说“不是”，对方就把电话挂了。方言对我接了他的电话表现出的不可思议的暴怒令我很吃惊。那之后的一天半夜，我醒来发现他不在了，我没在意又睡了过去。早晨，我起来发现他走了，卷了我所有值钱的东西走了，连房钱都没结。“我特愤怒。”姑娘瞪圆了眼睛瞧着我们说。我嘿嘿地笑，“我倒觉得方言太郎比较棒。”

“没这么卑鄙的。”姑娘白我一眼，“中国人都干不出这种事。”

"后来呢？"我笑着问。

"没后来了。"姑娘说，"我还能怎么着，只好赶紧溜吧！他倒还客气没把我衣服也卷走。"

"到底没人付房钱。"

"我已经受损失了。"姑娘讨好地冲我笑，"其实我也想过，他用的是假名，方言可能不是他的名字。有一次我和他在大街上走，路边有人叫方言，他吓得头也不敢回，虽说没跑也着实竟走了一阵子。当时我以为他不愿被过去的熟人碰见。那会儿我已怀疑他不是日本人了，现在想来那人叫的一定是你，你当时大概也正在街上走。"

"我觉得，"黑皮大衣对我说，"这个方言没准是你的熟人，你认识他，要不他干吗不叫我的名字？"

"这很难说。"我正儿八经地说，"谁不喜欢有个响亮的名字。我这个姓氏一度很显赫，鄙人祖上很出了些名臣，就是当今内阁也有鄙人同族人在任'行走'。"

我走到里屋去叫刘会元。刘会元正坐在那两个执刀的粗坯中间推心置腹地对他们说：

"这事要放在从前，你们这么干我决不答应。"

十四

这地方一片漆黑寂无声息，我还以为我进了一座空房子，接着一道白光掠过，瞬间照亮了挤挤挨挨的人头，厅内变成雾状的橘红色，音乐滚滚而来，人群涌动起来，一个沙哑的男声在人头上四溢滞留。“我的心在等待永远在等待，我的心在等待永远在等待……”

我撅着屁股高抬腿一跳一蹦地钻进人群，在每个姑娘的脸上打量察看。我转到一个醉酒般摇摇摆摆原地抽筋的姑娘面前围着她跳跃像鹞子围着鸡盘旋。

“谭丽，谭丽。”我大声叫她，“睁眼看看我，还认识我不？”

姑娘睁开眼，慵懒地瞅我，又闭上继续摇头摆尾。

“我是方言，跟沙青特好的那个，想起来了？”

姑娘又睁开眼，旋即闭上，点点头。

“沙青在哪儿？我要找她，找她有事。”我四处环顾，跳着，踢着腿，不时踢在自己屁股上，“这他妈曲子这么长，咱们到外边说去。”

我扶着晕乎乎的姑娘分开人群往外走，一路仍晃着头颠着脚。

来到舞场外头，我松开姑娘，震耳欲聋的音响弱了些，舞场内变成一片雾状的海蓝。

“我是方言，你把沙青的地址告诉我。”

姑娘大汗淋漓，呆滞地瞧着我，似乎不明白为什么我对着她脸说个不停。

三个瘦瘦的小伙子从人群中挤出来，围住我好几只手推搡着我：“你干吗？”

“不干吗。”我保护着自己，“就问她个人问完就走。”

“问什么，有什么可问的？”三个人开始动手打我，往外打。

我一边护着头招架着，一边退着说：“别打别打，我这就走——谭丽，沙青住哪儿？”

“走吧，甭理丫的，咱们跳舞去。”一个男的腾出手带着谭丽往回走。

谭丽怔怔地走了几步，忽然回过头喊：“拉索发米来多。”

“音乐学院？”我肚子上挨了一拳一下岔了气，但我猫腰时明白了过来：电话号码。

“他穿得比你整洁多了。”

我和沙青站在大栅栏的穹形电影馆里。这是个球形建筑，游艺性质。每天不停地在一百八十度宽的银幕上放两部表现飞翔和疾驶的短片，买一张票进去可以无休止地看下去。沙青是个娇小的姑娘，光嫩的脸上没有丝毫被做旧的痕迹。她对我贸然打电话相约十分警惕，坚持不肯在私下场合见我，我们就约在了这个闹中取静的地方。穹形馆内一无所有空空荡荡，只在地中间横设一栏杆，看电影的人大都散站在后壁，唯我二人和几个孩子倚栏而立。

我们是在北京飞广州的飞机上认识的，我们邻座。那是春天，我为出版社组稿。他说他是作家，语调低沉有半音阶，面目矜持有儒者风。他说他写过《春之眼》、《铃之闪》和《活动变人形》毫无愧色心地坦然眼中流露谦逊之光。我说久仰！书我都看过不但看过，还编过其中一本。你胖了也长个了连眼镜片也薄了，是我没认出你，还是你换了砂型。他仰着脸从容地说是你没认出我，那个当了官的是假的，真人比他要胖像我这样。他始终不笑，谈学运谈流放谈写作，虽不失云山雾罩却也有板有眼。我简直被他感动了。我从没见过这么硬吹硬侃被戳穿了仍不改弦更张，这非得有点不屈不挠明知山有虎偏向虎山行的二杆子作风。沙青说她从起飞到落地两个半小时愣是被这个又高又胖戴黑镜西服内衬条格衫的方言侃了下来。沙青和他步出机场接沙青的人没到或是没认出来，她和方言乘上他叫的计程车去了市里。在一个大饭店分头开了房间。沙青很烦躁而他很惬意。他请她吃饭洗蒸汽浴玩地滚球打台球。他像回到家一样自在熟悉各种玩乐技巧：台球一口气能打上百分将台面打得稀稀落落；那悠闲那从容十足一个终日借此消磨时光的老手。他坚持说自己是作家，“我和他们没有质的区别，唯一不同的就是他们写我不写。为了便于说明问题，我随便举他们某个人的作品说明身份实在无可无不可。”他说他喜欢沙青，他这么说并无猥亵之意。沙青说他喜欢我的意思是喜欢我的声音，在异域听乡音令他有莫大欣愉。像我这种职业的人你知道总是要四处跑的，久而久之南北荟萃人如轻絮反认他乡是故乡。他这么说根本不像刚从北京离开，听上去有些古怪颇似造作之语，否则便有什么难言之隐。

我和他坐了半日也觉无聊，况有正事在身抽暇给接我的出版社打了个电话。对方正急得叫苦连天没接着人，生怕一个女孩子人生地不熟遇见什么坏人被人拐走没法交待。接到电话喜出望外叮嘱她原地别动这边立刻派车去接。接方来了一老一少两个男人，一进饭店大厅就四处寻觅，看到沙青和他坐在一起走过来连连握沙青手催促她马上走，警觉地打量这衣冠楚楚的男人。他们的态度不太友好不太礼貌。后来他们也说了他们认定他不是好人心怀叵测，但他毫无局促毫不理会坦坦地坐在那吸烟连站也没站起来。当我向他告别时他也只是点点头眼睛立刻看向别处其冷淡客套就像他从来没见过你也没跟你说过半天话。

那天我和当地出版社的一个男编辑去饮早茶。他是个刚分来的大学生，对我很好也很机智。这几天都是他陪我跑，我们相处甚洽。你知道他对我的好意已经带点浪漫色彩了。在这个豪华餐厅比比皆是的城市，我们去的那个餐厅并不特别有名，按当地标准也只是中档。茶客大都是附近居民，我们也是顺脚。那个餐厅就在出版社街对面。那天早晨已经很燠热，阳光透过梧桐树繁茂宽大的叶子斑斑点点洒在湿漉漉的马路上，路边有条暗绿色的河，上面飘着厚厚的浮萍团叶相连，临河便道上有滑溜溜的青苔，快慢车道之间和餐厅窗外以及河对岸的居民区屋前房后到处可见芭蕉铁树鱼尾葵，白雾缭绕在绿色植物丛间。我一直想给方言打个电话问候一下，我总觉得应该这么做即便是萍水相逢；我也的确打了，可他住的房间换了人。我心里总惦记着这事，不知他在哪里闲坐。

餐厅里熙熙攘攘。人们在吃在喝在聊天。我看着各种随意端取的玲珑剔透糯米和肉类制作的早茶点心欣喜暗生，什么都要尝一点，样样感到可口，那个本地籍的同伴也因此十分自豪。我正在吃一种闻所未闻的虾饺，看着另一种闻所未闻的透明马蹄糕，注意到了人丛中的一张脸，一张没戴眼镜的胖脸，他正在吃一根小巧的油条。我觉得他跟周围摇着扇子穿着汗衫趿着拖鞋的本地食客毫无二致，一杯茶两件点心一副闲适的神态。我想周围有些人还认识他，他们在用广东话聊天，他不但会意报之以微笑还间或用广东话插上一句。我在他脸转向这边时朝他微笑，指着旁边的一张空位叫他过来。他戴上眼镜走了过来坐下什么也不吃，发现我有个伴后对那个男孩子十分客气，客气得有些谦卑。我和他聊天打趣问他近日动向，他什么也不讲只是微笑。老气横秋地和那个男孩谈上作谈辛苦，两个人谈得很累。男孩明显在敷衍他，我想他也感觉得出来。但仍不卑不亢锲而不舍。男孩听我说他是作家后很说了些刻薄话，貌似调侃实含讥诮并做出种种与我亲密状。

他告辞了颇为得体地告辞了，说他要去赶飞机，在餐厅外的路边叫了一辆计程车还回过头来向我们招手。我们在街道上急剧地拐弯，背着书包的儿童在前面过马路，我们从他们身边危险地擦过，街边鲜花店水果店一片艳丽，首饰店的珠宝光华熠耀。男孩告诉我他决非去赶飞机肯定是乘车到哪个公园湖边坐上半日，然后再叫一辆计程车在城市里绕上个大弯，悄悄回到他在这儿附近的寓所。他见过他多次在早晨散步和黄昏纳凉的人群中，因他总穿着条格衬衫而有印象。这人是个骗子，百无聊赖拈花惹草的骗子。他的一口洋泾浜广东话一听就是外地人。男孩谆谆告诫我，大凡栖在这个城市的北佬十有八九不是好鸟。我嘴上唯唯诺诺脸上很乖很驯顺，心里说弟弟，你不必把你的生活经验加诸于我。

我始终没告诉那个男孩，我和他又见了一面。那是我临走前一天的傍晚。我在晚风中散步怀着憧憬，他迎面而来。实情可能正如那男孩所言他住在附近，可我仍感到欣慰感到愉悦，我喜欢和他再三邂逅。我们并排走。我告诉他那男孩的看法，似乎在他面前我什么都肯说。他说那男孩说的是对的。任何事情总有它规律性的东西可循，人也一样，陈腐俗套也往往一语中的。他说但是一颗鞭炮不可能无穷尽地响下去，山崩地裂之后便是无害的了，即便鞭炮不甘也无余勇可贾。他自称是个“幸存者”，是一朵纸屑，被火药熏黑的纸屑，远远炸飞的纸屑。他对我谈起燃放鞭炮前的兴奋和期待以及巨响过后的寂静……

街市昏暗，人车如织。我看到那三个警察在人流中迎面缓缓而来，交臂、错肩、走过——我戴着口罩像从碉堡的炮眼向外张望。许逊和乔乔走过来，走过去；瘸子和黑皮大衣走过来，走过去；李奎东、汪若海、吴胖子和刘会元一一从我面前走过。我简直没有勇气再往前走了，我想我还会依次遇到张莉、金燕、胖姑娘和每个我认识的人。沙青在我身旁咬着唇默默地走，蓦地也掉过头顺着大家走过的方向走了——她看到胖姑娘后面的谭丽。我孤单一人向前走去，看到高晋，看到夏红、新郎新娘、糙汉壮汉、认识的和不认识的形形色色男女人等。我走到一个街口行人稀少了，路口的店铺都上了板，路灯幽亮，一片空旷。塞得满满的果皮箱口不时被风吹落一张纸屑在街道上打着滚儿地走一阵停一阵。一个人穿着大衣迈下马路走过来，走过路灯时我看清了他的脸，是高洋。后面又有一个人大步追了上来，从军装式样上我认出是卓越。他们毫不停顿地走，消逝在黑夜中。我立在街口等着，一个高个苗条穿着华贵的女人踽踽独行慢慢走到路灯下，是刘炎，像照片上那样垂着眼皮面无表情。我小声地叫她，她缓缓地转过脸，抬起眼，走过来，诧异地辨认我，当她抬起眼时我认出了她。

“你在这儿干什么？”李江云问我。

“我在等人。”我看着四周说，“你怎么会来这儿。”

“这么晚了等谁？”李江云回头往黑暗的街道上看，继而露出微笑，“怕不是等我吧？”

“你从哪儿来？”

“你到哪儿去？”李江云挽着我转身往回走，“回去吧，你等的人不会来了。”

她的手紧紧有力地攥着我的胳膊，我挣扎着扭头往回看：“就差一个了。”

街道上空空荡荡，那个人没有出现，连影儿也没有。

“已经过去了。”李江云再次拖着我往前走，“你等的人已经过去了。”

十五

“你这是犯罪呀。”

“犯罪就犯罪吧。”

“你不能再等会儿吗？让我喘口气，就这么下车伊始？”

“我不想跟你多说话，但凡一说话就不定被你岔到哪儿去了，我们说得够多的了。”

“让我自己来让我自己来，你慢点，你把这个都扯坏了，这儿还有个暗扣，这种机关就是专门设计用来防范你这种人的。”

“我看我们就免了那些繁文缛节，单纯一些吧。”

“我也看不出你有什么锦上添花的本领。”

“我这人，嗯，不能分心。如果过分沉醉于手段，最后总把目的忘了……别动，现在很关键。”

“……”

“怎么样？差强人意吧？你干吗还睁着眼睛，这么看着我，就像这件事和你没关似的。”

“你不觉得你话太多了吗？你总是一向在这种时候唠叨个没

完吗？”

“我怕你紧张，和你说说话可以使你松弛一些。”

“你这几天，事儿跑得怎么样了？”

“有些进展但离见分晓还早。”

“那么，你对你过去的事有了一些了解了？”

“是的，这种了解是很激动人心的，你应该感到荣幸，要知道你是在和一个非同寻常的人打交道。”

“你过去是什么样儿？”

“据说，从种种迹象看，我过去是一个很有些无情的匪徒。”

“你有那么精彩吗？我看不出来。”

“是啊，经过这么多年，我看上去是很普通了。”

“跟我讲讲你过去的事，那人真是你杀的？”

“我不愿讲过去的事，那些事过去就让它过去吧，我很满足目前的生活。人总不能一辈子疯疯癫癫，年轻的时候该闯该打可以闹些事情也算痛快过，上了年纪就安安静静地修身养性颐养天年了。”

“这话听着倒像是饱经沧桑的人说的。”

“我是饱经沧桑。想当年，我们一群朋友从部队刚复员，那真是风华正茂，精力正旺盛，没不想干的事，没不敢干的事，那才叫国家的主人呢。想爱就爱，想祸害就祸害，谁也拦不住。也就是没赶上好时候，落草为寇了；退几十年，哥儿几个也割据了……睡着啦？怎么不吭声了？”

“嗯，我都睡了一觉，你抒情把我抒迷糊了。”

“精神点，我就怕你睡着，所以才说个没完。那会儿我可不像现在，受了气也就忍了；挨了耳光还得冲人笑显得宽厚不计较。那会儿，嘁，一个眼神不对，菜刀就上去了，没客气；哥们儿犯着了，该急该拼也照样儿。”

“你觉得有意思吗？”

“什么？怎么没意思？咱这儿唠着嗑儿动弹着哪儿都不闲着，身心多愉快。”

“我给你划块特区吧。”

“别动别动。”

灯亮了，我和李江云都坐了起来，倚在床头，李江云打量着我。

“别，别，别假装特激情，特陶醉。”

“我很惭愧，我的巅峰时期已经过去了；过去别人在事后总是极为幸福，意犹未尽。”

“别难过。”李江云抚摸着我说，“这是不以人的意志为转移的。谁也不能一辈子独占鳌头，谁都有完的那一天。你已经活得很有点豪杰的味道了，不是杀过人就是奸过人，占上哪条都够人尊敬的，都算没白活。瞧瞧别人，有杀人比你杀得多的，奸人不比你奸得少的，现在不也都安分随时地打着太极拳，跳着‘的士高’，小酒喝着小觉睡着，冷眼看上去也就是糟老头子一个。拿出点末路英雄的劲儿。”

“可我手脚还利索，我还想有所作为。”

“可以啦，都让你一个人‘作为’，别人不全闲着了？‘作为’就像一块蛋糕，一人一块还有很多轮不上的，吃了还去切那就算多吃多占了。”

“你的意思我这辈子这么着就算交待了？再活也是瞎活？看来这人要不是我杀的我还冤了。”

李江云瞅着我，一笑。

我看着，半天，“唉”地叹出一口长气。

“别别，你可别叹气，我见不得别人叹气。”

我看着李江云，不再叹气，只是看着她。

“怎么啦？”李江云笑着问，“干吗这么看我？”

“咱们还有没有正经的？”我问李江云，“咱俩，你我之间还能不能谈点推心置腹的话？”

“你别急呀。”李江云抚慰我，“别急别急，当然可以，你想说什么就说，我听着呢。”

“要是连咱们俩都什么也不能说了。”我说，“那我就再没人可以说了。”

“说吧。”李江云严肃起来，坐正。“我不笑了。”

“我……”我吭哧半天，涨红脸，垂下头，“算了，也没什么可说的，说出来也怪没劲的。”

“那就睡吧，想起来再说。”

李江云躺下，我也躺下，我欠身问李江云：“你是不是觉得我这人特坏特无耻？”

“说老实话，”李江云睁开眼，“没有。说老实话，你还够不上坏，我深知坏的含义。”

“真的？”

“真的。”

“我要说我听了感动，你肉麻吗？”

“肉麻。”李江云闭着眼微笑说，“睡吧，你的灵魂也该安息了。”

李江云已经熟睡，我却仍然毫无睡意。我下了床，巨大的黑影伴随着我在屋里移动，我点起一支烟闭眼遐想，无边的黑暗中慢慢渗透出其他颜色，组成一个个斑斓晦暗的画面：我在残阳如血的群山间行驶越驶越远，一个人影被另一个人影从山脊上推下去，飞舞的胳膊晃抖，倾斜的身躯交错，踢起的腿久久印显在嫣红的暮色中；我在铺着猩红地毯笼罩着赭黄光线的走廊上蹑手蹑脚地走，拎着一只别人的皮箱，条格衬衫在楼梯拐角露出，一时高洋拎只皮箱从走廊另端蹑手蹑脚走来像我镜中影像；刘炎紧挨着我，浓郁的香水味在车内扩散，夜色中空荡的街道退去一条又展现一条，每一个街口都放射状地伸出去无数条黑黝黝的街道，商店一排排不锈钢门帘泛着光泽。这一切既清晰又虚浮，我无法分辨哪些是确有其事，哪些仅仅是想象。我们踹开胡同里一座四合院的门，手端着无形的冲锋枪，嘴里发出“嗒嗒”的声响向院里扫射；我们拖着少年的高洋走过柳枝飘拂的树下用绳子将他绑在树上挥舞着柳枝抽打，挨打的和抽打的都咧着嘴笑；少年高洋一动不动地躺在地上脸色苍白，卓越含了一口水向他脸上喷去，他倏地坐起。这是我们小时候常玩的一种杀人游戏，几个人扮凶手，其余的人扮官兵，给凶手几分钟的时间四处藏匿，然后官兵出动追捕。尽管官兵享有逮着凶手后严刑拷打的权利，但所有人都争当凶手。因为凶手在逃跑时可以捉弄大家，被俘后又有表演的权利，尽可不屈不挠，是游戏中最出风头最有创造性的人物。凶手无一例外地被我们演成好汉。

我把刘炎的照片拿出来放在桌上，光滑的照片在台灯的光晕中泛着光，斑斑驳驳更加模糊，人脸像是深陷进雾中。我想起很多年前的一些陈旧的片断往事：我踩着厚厚的积雪吱吱作响地在小胡同里走，前面有一家门脸挂棉帘子不时冒出缕缕热气的小吃店，从气窗伸出的铁皮烟筒挂着罐头盒淌着焦黑的煤烟油……我坐在铺着白塑料布的方桌旁吃可可馅元宵又香又软，身后背的装着冰鞋的大书包老是滑到前面：灯光昏暗的冰场上人们密密麻麻地无声地滑着，冰刀磕冰清脆响亮，我在暗处芦席围墙边跌跌撞撞地滑，脚下拌着蒜冲到一个人怀里，那人稳稳地将我托住，我们仰脸笑；松树上落满雪，我眯着眼笑盈盈地站着，照相机的闪光灯耀眼地闪着，耳畔一阵银铃般的笑声，远处有朱红的宫墙和黄琉璃瓦吻兽的飞檐；我们在厅柱上挂着木刻楹联的酒楼上吃鱼，临街窗下人来人往；不远处的河上戴毡帽的船夫脚蹬桨手扶舵划着乌篷船穿过拱形石桥顺流而下，狗和女孩儿蹲在船舱旁，河对岸是一望无尽的金黄毯般的油菜花地；我们在山上宽敞的殿阁中吃菜嗑瓜子，雨似油滴断断续续，周围群峰如笔，白雾缭绕，山静林幽下有竹筏过江，人戴斗笠，山路石阶滑溜，竹林苍翠；我们互相搀扶，衣衫俱湿，峭岩上有红漆大字：浣心；我们卧床隔窗听雨，一个女声喃喃自语："好像好像。"这一切都历历在目，声息俱存。但一看到照片上的脸又一切顿逝、推远、支离破碎，这女人始终融不进画面，连轮廓也格格不入和那臆想中的人形无法吻合，越端详越觉得陌生——我第一次感觉到这个刘炎陌生。

窗外，风忽啸起，像有人在远处的夜空中打着唿哨，猫在暗处一声接一声凄厉地叫，乌鸦蹲踞树杈默不作声，有个东西在活动，虽无形却神意可感。风猛地将窗吹开，窗帘狂舞。俄顷，门也一扇一扇打开，猛烈灌进来的风带着加倍响亮的哨音在各屋穿行，照片被吹落到地上。我站起来，看到李江云仍在熟睡，脸色苍白死人一般毫无声息。我走到外屋，通往楼道的门敞开着，冷风在我周围打转，很快使我变得冰凉。我感到那个东西就在屋内，空气中有一股淡淡的"紫罗兰"香气。

那个东西移动了，气流产生变化。

"是你吗？"我小声问，向黑漆漆的楼道走去，"干吗不出来？"

我走出门，楼道里空空荡荡。我顺着楼梯下了楼，走到楼门口，四周一片寂静。我听到楼上门一扇一扇地关上，发出巨大的声响。

十六

“你使我想起一个人。”

我们在一家餐馆吃午饭，餐馆里人很多，熙熙攘攘。李江云带了个风度潇洒的中年男人，他穿着考究的细呢大衣，每当我们视线相遇时便露出微笑，这顿饭由他做东。

“经常听李江云说起你，所以很想见见你，听你聊聊。”

我客气地冲中年人笑笑，对李江云说：“早知道我就把角留着了。中药铺老缠着我没办法，他们说那方子里非要这味药，要不不治病。病人也老来我这儿跪着，非摘我的角泡酒喝，我只好锯给他们了。”

“神啊。”中年人笑着看着李江云说，“有意思。”他端详着我，“你和我认识的一个小伙子非常像，言谈、手势、表情都有很多共同的东西。他也总是喜欢和比他大的女人混，一天到晚乐呵呵的。”

“又是你那老掉牙的爱情故事，你讲了快有八百遍了。”

“没关系。”我对李江云说，“谁聊都一样。”

“实际上我也只见过这个小伙子一面，但他给我留下的印象极深。”中年男人说。

“别以为这事里有他。”李江云说，“这其实是别人的事，他听说后便记了下来到处讲，就像他是当事人。”

“不完全是听说，宝贝儿。”中年人温存地看了李江云一眼，和蔼地对我笑，“这故事的女主人公一度和我很熟。我们是老同学，又一起去兵团，一起回城，现在仍时有联系。”

我看着李江云：“这不是李江云的故事吧？”

“我们不提她的名字吧？”中年人看着李江云说，“就说这事，不提具体人名，好不好？”

“你不会认识她的。”李江云说，“她已经有很多年音讯全无了——他说仍跟她有联系是那种为了显示自己重要的人常玩的手法。”

中年人微微地笑，并不介意，对我说：

“你尽可以把这个事当成天方夜谭。这的确是个很老很旧的故事，今天聊起来，纯粹是一种茶余饭后的闲话，与我们在座的都毫不相干。”

“对对，咱们只当是都没带脑袋来，只当谁都不是人；这儿也没有一个人，一片田野一地庄稼，农民在施肥，几个远道而来的苍蝇在这儿打转，嗡嗡一阵，庄稼该长该收全没关系。”

“你们俩那此地无银三百两的劲儿大了。”李江云笑说。

“得这样，”我正儿八经对她说，“要不全不踏实。”

“她父亲是个很有名的语言学教授。”中年人说，“当年可说是名重一时，现在你们是不会听说过的，‘文化大革命’刚开始他就自杀了和他的夫人。我说的这个女人当时还是个女孩子，当然很惨，无处栖身。后来，就是最近我们才知道她还有个弟弟，据说这个弟弟正在找她，我想他也不会找出个结果。正像李江云所说，她已经音讯皆无很多年了。”

“就是见着了也未必认识。”李江云说。

“恐怕是这样。”中年人说，“当时不知道她还有个弟弟，只是看到她孤零一人，无依无靠，很可怜，于是我们就设法把她带到我们一起要去的兵团，本来她是不够格的。在东北兵团我们待了八年，很艰苦，不必说了，我们都挺过来了。回了城，生活进入了正轨，大家都觉得熬出了头，有什么本事都可以施展了，苦尽甘来了，她却突然垮了，一直好好的也分了差强人意的工作，想考大学也有了机会，她突然垮了。当时大家都在忙，忙上学忙工作忙婚姻忙房子，谁也顾不上谁。我记得我们很多人记得她曾来找过我们，但大家都忙也顾不上细聊，简单说几句就把她打发走了，后来她也就不来了。等大家忙完了都有了着落闲下来想聚聚再见面时她已经变了。先是和我们兵团一个最窝囊最不起眼的人姘居，姘了一段时间就跑到社会上去和各种不三不四的人混在一起，出入舞场饭店，打扮得像个交际花，喝酒抽烟，说话也变得粗俗下流，言谈不离饮食男女，别的一概不感兴趣。她本来是个天资很高的人，弹得一手好钢琴，会几门外语，舞跳得好，冰滑得更好，到头来这一切优秀禀赋全成了她卖弄风骚的资本。我想她堪称烂。有一次我碰到一个委琐不堪的瘸子说起她，那言词简直不堪入耳，连这种东西也没把她当人。”

“他很难过，你发觉没有？”李江云笑着对我说，“他本来对这个女人抱有很大期待。他是个懦弱、自卑的人，一直不敢把他对这个天仙的单恋表露出来，等他觉得自己资本雄厚了可以像贵族似的来一次优雅感人的求婚，却发现他的意中人已经一钱不值了，随便一个骗子、流氓都可以轻易地占有她。”

“这种老式的恋爱方式你们年轻人一定不屑吧？”中年人微笑地看着我，看得出来李江云的刻薄话丝毫不能刺伤他，“和你们比起来我们是显得顾虑重重、优柔寡断，这和我们成长的时代的影响有关。我们为个人追求时不像你们那么大胆、一无所有却勇气十足、我认为值就不惜一切；我们考虑问题时更多的是注意到和整个方面的平衡。我们受的教育一贯是把个人置于一种渺小的境地。这是我们的悲剧也是我们的习惯，很明白却无能为力。”

“这话我和李江云说过，”我说，“你不必把我和你们划成两代。”

“恐怕不划也是两代。”中年人说，“‘文化大革命’开始时你念几年级？”

“噢，这么划分不科学。”

“别以为我是小瞧你，如果任我选择，我宁肯和你同龄以具有你的某些勇气。”

“没人拦你。”我转向李江云，“我们已把圈养改为放牧。”

“这话说得就是年轻了。”中年人微笑，“拦我的东西很多，包括你，也会觉得拦你的东西会越来越多。我们还是回到故事上来吧。有一天，我们已经不再邀请那个女同学参加我们的聚会，她自己突然来了，带着一个年轻人，就是那个你使我想起的年轻人。”

“不是我吗？”我笑着说，“也许那个年轻人就是我。”

“不不，”中年人笑着说，“你们有相像的地方，但不是你，这点我很清楚，李江云也清楚，她也在场。”

“不是你。”李江云说，看着别处。

“他很漂亮，很英俊，穿着得体而不刺眼；很规矩很有礼貌，眼神中甚至时时带有一种怯意。你可以想象出我们对他的冷淡，我们几乎没一个人不认为他是那个女人的露水情夫；更糟糕地说我们甚至认为他是个面首，仗着小白脸在女人中厮混的那类玩意儿。我们谁也不理他，有些女同学公开表示对她把他带到这儿来的气愤。她不在乎，该说笑照常，甚至有意说一些刺耳的、令大家难堪的话，我们一致觉得她变得厚颜无耻了。他们俩始终被排斥于聚会的中心圈之外，女的有时还可以硬插进去不顾周围人的白眼使自己成为谈话的中心，那小伙子却尴尬地可怜巴巴地一直坐在角落里端着一杯酒看着自己的鞋尖。我有点不忍，看上去他是那么老实毫无油滑之气因而显得无辜。我是聚会的主人，我不想让他觉得我们这些人无礼，于是便走了过去和他攀谈起来。”

“这一切我当时都看在眼里。”李江云对我说，“我认为他这个人伪善就伪善在这里，明明心里对人有不同看法，面上却装得热情。总想让人们都觉得他是个彬彬有礼的人,他谁也不想得罪。”

“我承认，”中年人笑着说，“有时我是有那么一点不分好恶的客气，但我认为是必要的。”中年人继续对我娓娓而谈，“他见我走来，在他身边坐下，便露出羞怯的微笑。我还记得他当时对我说：‘我很好，不用管我。’我问他认识我们那位女同学有多长时间了，他说不长‘才几天’。我问他有多大，他告诉了我大概才二十来岁。我问他从事什么工作，他腼腆地说他刚从部队复员‘还没工作’。这时他完全显露了他纯真的一面，简直像个老实的小姑娘。这从根本上改变了我对他的印象，我甚至觉得是我们那位女士腐蚀了他；可有些话我又不便明说，于是我笑着说，你可比我们那位女士小多了。这时他笑了，说了一番话，意思就是他喜欢比他大的女人，他对小姑娘没兴趣，他认为她们太不懂事，一旦她们懂了事也老了，‘那时我也就和她们一样老了。’他非常有趣非常率直。说到他的情人时，眼放异彩频频去看那边正在粗鲁调笑的那个女人，像真正陷入爱情的小伙子既激动又掩饰。他对我说，我们并不了解那位女人，‘真正名贵价值永恒的钻石是经过琢磨之后的’。我问他是否真像他所想象的那样了解那个女人？‘拿钻石比拟高品位的女人并不贴切，我们习惯的倒是视女人如素缟’。我承认我说这话时含有一些卑鄙的暗示，我承认卑鄙。他脸红了，那个男孩子脸红了，他说他懂我说的意思，他全了解那个女人一点没对他隐瞒他不在乎：‘别以为我是初涉社会的雏儿，关于女人我懂的也许比你还多点，这大概就是我们之间的分歧所在。’我很惭愧。他刚说完我就感到惭愧自然而然的惭愧。为了掩饰这点，我便问他是否打算和那个女人结婚。他诧异地看着我，‘当然，否则我干吗要说那么多？’不过他又接着说，目前他还不打算结婚，他了解组成幸福需诸种因素缺一不可，而眼下他还不具备条件；‘我会设法的，瞧，我不像你想象的那么幼稚吧？’他大笑，既险恶又可爱。我理解他指的是钱。我想这又是我和你们这代人的不同，你们绝少不切实际的浪漫。我问他怎么设法？‘有些事情说说很容易’。他说他会‘像宝石一样，无坚不摧’。我问他就不怕感情变质？他大笑说，‘不这样才会变质。谁见过风筝没线牵着会稳在空中？’我对他的话很震惊。”

“没什么可惊的。”我说，“他说的都是实话。在我看来再也没有比这更合情合理的了。他考虑得很周到、很全面，这才说明他是认真的，只有逢场作戏的人才热衷爱情至上，用空洞的海誓山盟欺骗对方——没比这更不正派的了。”

“他对我提到宝石的事。”中年人看着我，“他多次在话中提到宝石，用宝石比喻女人，象征能力，使我感到宝石并不仅仅是他信手拈来的象征物，而是彼时他脑中心里萦回不去的具体物体，我们总是拿我们最倾倒的梦寐以求的东西来比喻其他。我们的谈话越深入我这种感觉也就越得到了证实。他不肯具体说他将如何‘设法’，我看得出他想说他要干的事令他很兴奋但又克制着自己不说，倒不是怕泄露秘密而是像所有想炫耀自己的人一样故意用含混的说法使自己的秘密变得比原本更重要，在别人眼里更秘不可测。他向我透露他有一条可靠的发财之路，‘像宝石一样可靠’。他有一群朋友正在南方等他，‘都是些和我一样的人’。他暗示我他那群朋友都是些正干着非法勾当的人。我对他说这很危险，他笑了，就像你现在笑的一样。所以我说你们有相似的地方，既纯真又残忍——这就是我当时从他现在从你眼中看到的。”

“这就对了。”

“是的，他当时对我说的也是这句话：‘这就对了。’”

“你没注意他穿的是什么式样的衬衫？”

“什么？”中年人不解地看着我。

“他穿的是件带条格的衬衫。”我笑着说，“我还可以告诉你，他姓什么叫什么。”

中年人笑了，伸出一只手指放在唇上：“我们有言在先，不提具体人名，这只是一场闲谈。”

“对对，这完全是与我们毫不相干有关别人的一种趣事逸闻。”我拍拍头，“你接着说吧。”

“后来我就走开了，走到女主人公身边对她说：‘祝贺你找到意中人。’她没听懂，问我什么？我又把我的话重复了一遍，她笑了，对我说：‘挺值是吗？’接着她严肃起来，看了看远远坐着的那个男孩子，凝视着我点点头，没说什么。再后来，那次聚会之后，我便听说他们在四处借钱，所有认识他们的人都被纠缠过，我也未能幸免。女主人公找我借钱时说很快便还，甚至说好了还钱的日子，一个月以后。那是个春天，他们走了，从此再没露面，一去不返，迄今为止十年了。我不知道后来发生了什么事情，他们有没有如愿以偿。我打听过，可毫无结果，他们就像一股烟消逝在空气中。有人倒是在南方见过他们，和一群小伙子在一起，后来据说是出了事，有人被捕，有人死了，再后来就一点消息没有了。这些年我想着他们，这两个人特别是那个男孩子总在我眼前出现。本来他们完全不必去干那些事的，他们没穷到低于一般中国人的生活水平之下的地步，与其说这么做能有所得不如说更可能有所失。他们不是小孩子，应该懂得这些——我非常想知道他们的结局。”

“你干吗不说你当时还对那个女人说了一些别的话？”李江云说，“你对她说，你不相信这种组合能带来什么好结果，那种想法更是在犯傻，一相情愿。”

“是的，我这么说了。”中年人微笑，“我还对她说，那个男孩并不特别适合她。他很危险，不是对别人危险而是对自己危险，经过这么些年，我们应该谨慎一些。”

“女主人公是怎么回答的你？”我问。

“她说，”李江云说，“我们一生中一直恐惧的是什么？不就是怕白活！”

“我要给你我的追求，还有我的自由……”餐馆音箱传来由于音量极低犹如喃喃私语的歌声。

“这词儿太棒了。”我们身后一个老爷们儿对正和他一起吃饭的女友说，“这词儿我听着真感到汗毛顿竖。‘还有我的自由’，太悲壮了。话说到这份儿上还有什么可说的？换我，充其量也就能把我的民主权利和经济收入给你。”

“不要勉强，这些也不必给我。”姑娘说，“谁稀罕你给谁。”

“这手太厉害了。”男人兀自说，“看来这哥们儿也是被逼急了。”

我们相视而笑，一语不发，依次低下头。

十七

一夜大风。

清晨，我走在街上，气温很低，伴随大风降临的寒流使一切化开或将要化开的东西重新冻上。行人掩面疾行，树木的枯枝在寒风中瑟抖。

一伙背着冰鞋戴着毛线帽的年轻人坐在我身后，一人端着一杯热奶喝着大声说笑。他们在称赞一个人的滑冰技艺：“就像专业退下来的主儿，有她就没咱们什么事了。”“我从没见过一个女的能站着竖起来劈叉我真担心她的刀从后面甩过来剁着她的脸。”“我们真该和她认识一下学两手。她穿花样刀跑起来都比我们穿跑刀快，也不知她是怎么滑的。”

从这个热饮店的窗户玻璃可以看到街对面的铁栅栏内的冰场。天空苍白，阳光惨淡，暗青色的光滑冰面上一圈圈人在滑行，有些人姿势低些手臂摆动幅度大些速度也就明显比其他人快些。整个冰场像一只只不同速率的齿轮组成的运转着的机器。有人在急剧地抱身旋转随即蹬冰滑走；有人速滑而来凌空一跳落地后箭一般地远去；一队同速滑行的人一个接一个地斜行刹住激起一股又一股白烟般的冰碴。冰场在转动，冰刀亮闪闪一片，碰撞在一起的男女在笑在叫。因为隔着一条街什么声音也听不见，像是看一场大型的哑剧。

谭丽脸蛋红扑扑地从窗外走过，看见我，敲玻璃嘴贴着玻璃喊什么。我冲她笑，她回身走上台阶掀开棉门帘进来。我起身给她让座，没留神碰撒了身后一个小伙子端的牛奶撒在他军大衣上。

“对不起对不起，没看见。”我说。

“长眼干吗的？”小伙子不逊地盯着我。

“我给你擦。”我在周身找纸或手绢。

“擦就完了？擦就能擦掉了？”小伙子把空杯往桌上一蹾，对其他小伙子说，“喝杯奶还不让喝。”

一个魁梧的小伙子坐着斜着眼看我：“你过来。”

“对不起，我真不是有意的。”我站着不动。

“叫你过来呢，你害什么怕？”小伙子问我，“你哪儿的？”

“就这旁边地安门的。”

“嘿，他是地安门的。”小伙子们相视而笑，魁梧的小伙子说，“我怎么没见过你？”

“哟，谭丽。”被我撒了身牛奶的小伙子扭头看见谭丽，和她打招呼，瞧瞧我，“你们认识？”

“干吗呀，你们欺负人家干吗呀？”谭丽皱着眉头走到我身边，“这是我哥们儿。”

“不知道。”被我撒了身牛奶的小伙子解释，“算了算了，咱们走吧！”他对其他小伙子说，“哥们儿就算了。”

一帮人站起来往外走，魁梧小伙子拍拍我肩膀笑着说：“别介意，跟你闹着玩呢。”

小伙子们走后，我们重新坐下。谭丽瞅着我说：“瞧你，还紧张呢！”她笑，“这可和我第一次见你印象大不一样。”

“这要是从前，咳，不提了，我不愿坏在鼠辈手里。”我笑，“我刚才是有那么点紧张。”

“你找的人找到了吗？”谭丽问我。

“什么？”我问，“噢，找到了，还得谢谢你。”

“我不是说沙青，我是说另一个女的，叫刘炎的。”

“你怎么知道我在找刘炎？”我看谭丽。

“我怎么不知道？”她笑，“都传你在找她，找不着她，你就要坐牢。”

“好事不出门。”我叹，“对，我是在找她，你也认识她？”

“听说过，没见过。我的一个女朋友和她很熟，常提起她。”

“你的女朋友？她叫什么？”

“我也不知道她叫什么。”谭丽笑，伸出两个手指比画着，“有烟吗给我一支，烟瘾犯了。”

我拿出烟抽出一支给谭丽，替她点上。她吸了一口，打了个呵欠，眼泪汪汪地笑。

“也谈不上是朋友，一起玩过几天。她从来没把真名告诉我，只知道你们男的都叫她‘五粮液’，怪难听的。”

谭丽对我形容了半天“五粮液”的长相：“瓜子脸，眼睛挺大，有个酒窝，牙齿不好老戴着矫齿器，总爱穿一身白，大概是逆反心理。”她问我想起是谁没有，“她认识你。她说过和你很熟。前两天我碰见她，她还说刚见过你。”

我点点头说：“我知道是谁了。”

“听说你有一张刘炎的照片，”谭丽说，“能叫我看看吗？”

“可以。”我掏腰包，“你什么都知道，看来真是无密可保。”

谭丽拿着照片笑："我是什么都知道，我就爱听别人的闲话。"她拿正照片仔细端详，抬眼对我说，"没我想的那么漂亮。"

我笑："一般人吧。"

"我再看看。"谭丽又认真盯着照片看了一阵，然后把照片还给我说，"这照片我见过。"

我没说话，看着她。

谭丽把烟掐灭，捂着额头，"让我想想，我是在谁家见过的这张照片。我记得当时看的照片不止这一张，整整一本，都是黑白照片。在谁家呢？"

"慢慢想。"我说，"要不要再来支烟。"

"不，一支够了。"谭丽莞尔一笑，又陷入苦思冥想。俄顷，抬头笑，"那人叫高晋，我想起来了，住在一个老宅院里，院子很漂亮，我记得有游廊花园和假山，说是解放前一个什么大官的宅子。当时外屋有很多人在打扑克，抽的一屋子烟，我一个人在里屋看照片。"

"你还记得什么？当时高晋在场吗？"

"在，当然在，在外屋。我记得我还没看完照片，外屋就嚷嚷起来。我走出里屋一看，新进来一个男人正在和高晋他们说笑。"

"那男的穿着一件条格衬衫。"

"是的。"谭丽惊奇地看着我。"我想他刚从很热的地方回来，除了衬衫就穿了件西服。当时北京天气还很冷；我记得屋里有个人还穿着翻毛领的空军夹克。他带了很多东西，大箱小包，还有一把非常漂亮鞘上包着银的长刀。那把刀被那个穿翻毛领夹克的人拿走了；那个穿条格衬衫的人好像不愿意把这把刀给他，说他也只有一把，但那个穿皮夹克的人硬要。他们好像很熟，那人也就只好给他了。那个穿皮夹克的人拿着刀在屋里乱劈乱砍……"

“后来呢？”

“后来我回到里屋继续看照片，从打断的地方接着看。我发现这张照片，刘炎的照片被人取走了，相簿上空了一块很显眼。我不知道是谁取的，好像只有穿翻毛领皮夹克的人在我之前进过里屋一次。我堵着里屋门口站着，他要进去我必须侧身让他一下。”

“当时屋里还有谁？”我问谭丽，“你有印象吗？”

“还有‘五粮液’，那次就是她领我去的。还有三两个人我不认识，都是男的。”

我点烟，忧郁地吸：“都是男的。”

谭丽笑：“你很爱她是吗？”

“谁？噢，大概是，我想是。我们虽然惨点，爱爱总是可以的，哪怕人家不爱咱呢。”

“你真不错，你们这个年龄的人。”

“怎么啦？”我看着谭丽。

“没怎么，”谭丽低下头玩着垂下来的桌布角，“你们好歹还爱过。”

“我们也是瞎爱，有影没影自己觉着罢了。”

“听说你为她自杀过。”

“那可是无稽之谈。”我笑着说，“你听谁说的？没到那份儿上，没那么严重，我还不至于真拿这当饭吃。有点小感觉，也就是这点小意思；不不，绝对没有，寻死觅活，这不是寒碜我吗？”

“我觉得这没什么丢人的，有这个才动人。多好啊！能为别人去死，我就没这福气，瞅着谁都烦，巴不得他们一个个先死。”

“我一样，也老想催别人去死。”

“我真不是取笑你，我是敬佩你，该怎么说就怎么说，我觉得你特悲壮。”

“我悲壮吗？别别，你别这么夸我，我这人不禁夸，你这么一夸，没准我真干出什么悲壮的事。”

“怎么干？你也教教我。”谭丽诡秘地凑上来，“我想干还无从干起呢。”

这时，一个穿军大衣的小伙子带着一身寒气掀开店门的棉帘子进来，冲谭丽就喊：

“你怎么在这儿坐着？要不是二胖告我，我还在冰场门口傻等呢。”

小伙子怀疑地看着我，走过来：“你们干吗呢？”

“碰到一个熟人，聊两句。”谭丽天真无邪地朝小伙子一笑，“你先去吧，我马上就来。”

“你可快点。”小伙瞅着我们说，“我就在外边等你。”

小伙子出了热饮店，在窗外走来走去，不时不耐烦地往里看。

“就这号的，”谭丽看着我叹气，“你能叫他为这死吗？”

“那话咱不提了，他多大？”我看着窗外的小伙子问谭丽，“这年龄不正是上刀山下油锅的年龄？”

“他们这拨儿，”谭丽冲窗外的小伙子迷人地一笑，扭头对我说，“比你们差远了，活得那叫在意。”

“我也没下过油锅。”我说，“此一时彼一时，我们那个时代过去了，按现在的法则，你可以对他动手。”

“我喜欢男人对我厉害。”谭丽整整衣帽站起来。“再见，你可以认为我是受虐狂。”

“弟弟。”我刚进屋就被一个憔悴的女人兜头抱住气都透不过来，女人在哽咽，鼻涕眼泪蹭在我颊上、肩头、前胸。我挣扎着去看刘会元和李奎东，他们呆呆站在一旁既感动又惶惑，似乎对这种场面还有点难为情。

“让我好好看看你。”女人嘟哝着用粗糙的手在我脸上摩挲，“我们有多少年没见了？我都认不出你了。”

“我同样也认不出您。”我对刘会元说，“这是怎么回事？”

“你姐姐呀。”李奎东说，“你不是找你姐姐？我把她找来了；全对，她甚至记得你的小名。”

“冬子，”女人含着泪说，“那会儿我们叫你冬子。”

“等等吧。”我尽量和气地推开女人，“您再好好回忆一下，这种事情还是先弄清楚了再哭。”

“怎么，又搞错了？”刘会元不安地说。

“十有八九是错了。”我说，“我不认识这女人。”

“你怎么可能认识我？”女人伤感地说，“那会儿你还小。”

“可我一点印象都没有——我还有姐姐。”我对李奎东说，“你在哪儿遇见的这个女人？她是刘炎么？你心里不清楚？”

“她主动找上门来的、说要找你。”李奎东不知所措地说，“她说她正在找弟弟，听说这儿有个找姐姐的便来了。我知道她不是刘炎，可你一再强调找姐姐，我想也许刘炎不是你姐姐，找错了，你姐姐和刘炎的经历相仿混成了一个人。我还问了她半天，她说的有鼻子有眼儿，姐弟失散那场简直和你说的如出一辙。”

“老李把我找来，我先也断定错了。”刘会元说，“可她坚持说是你姐姐，我也给说蒙了，心想也许你真有个姐姐失散多年你自己都不知道——万一呢。”

“你不愿认我？”女人哀恸地望着我。

“不不，”我说，“不是这么同事，这是个误会。他们搞错了，你不是我姐姐。”

“可你是我弟弟。”女人坚决地说，“我认出来了。”

“这不可能。”我摊开两手，“我没姐姐。我说过我要找姐姐，可我没姐姐。我说的姐姐其实不是我姐姐，只不过我管她叫姐姐本来想让事情简单点结果反倒复杂了——我怎么跟你说呀？”

“咱爸生前最大的爱好就是养鸟，书房总挂着一排鸟笼子。”

“没这回事，我爸倒常拿气枪打鸟。”

“咱妈最拿手的是烙千层饼。”

“别编了。噢，对不起，我不是说你编，我是说这事跟我一点关系都没有，你家的事我一概不清楚。”

“你肚上有个痣，你敢不敢脱下来让大家瞧瞧？”

“会着凉的，再说我肚上也没痣，小腿肚子上倒有一颗。”

“那是我记错了，你小腿肚子上有颗痣你敢不敢脱下来让大家瞧瞧？”

“这么着就没完了。我的天，你干吗非把我认成你弟弟？咱们哪点像？”

“可你就是我弟弟，这不是我认不认。”

“跟你实说了吧，我没姐姐，我们家就没女孩儿，我父母也都健在，说姐弟失散那是瞎说。懂了吧？我不可能是你弟弟，不管我长没长痣。”

“懂了。”女人点点头。

“我很抱歉，开了这么个玩笑。我不是有意的，我没想到，请你一定原谅我。”

“我不会恨你的。”女人平静地望着我，“你有你的难处。我走了，不再打扰你了。可你记住，你可以不认我这个姐姐，我却永远记着有你这个弟弟。”

“现在的人怎么都这样？”女人走后我朝刘会元他们嚷，“跟他们说什么都不信！”

十八

傍晚，我在街边的大酒楼附设的面包房买了一袋叉烧面包，边吃边在便道上溜达，不时睃两眼不远处的公共汽车站。昏暗的天色下酒楼饭店灯火通明，一辆辆小汽车驶来，车上走下一对对盛装赴宴的男女；商店一间间白晃晃，人如潮涌，商品颜色缤纷斑驳一片，排列有致，可以分辨出服装店和百货店以及电器行的不同；远处高大的城楼垛口和更远处广场尽头的宫殿群的重重屋顶黑压压叠成一大片，轮廓浮凸，形状依稀；路灯透过松枝散出淡黄的光晕，把一条条走向不同的马路在暮色中显现出来，成队的自行车奔驰其间。便道上人来人往不时遮住我的视线，但我还是及时地发现那个向公共汽车站娉婷走来的女人。

我斜穿人群向她走去，不声不响地跟在她后面。昏暗的路灯下，她的脸显得很光洁，一双大眼睛奕奕有神，毛领白皮大衣、褐色长筒靴光泽熠熠，招来路人不少目光。有些女孩子甚至走过去还扭回头看。

她在公共汽车站牌下停住，脸朝着公共汽车来的方向站着，束腰系带的白皮大衣显出她身段的婀娜。我紧挨着她和她并肩站着，微笑地说：

“好像在哪儿见过你？”

她猛地回头，带着警觉的神情，接着松弛下来笑了，露出一嘴歪斜的牙齿和钢丝牙套。

“你好，乔乔。”

“你怎么在这儿？”乔乔往我身后看，“大冷天闲逛还是等人？”

“等你。”一辆公共汽车进站，我拉着乔乔的胳膊往后退，“我有事找你，咱们找个地方说话。”

“就在这儿说吧。”乔乔乞求地望着我。“我还急着回家。”

“还是找个地方吧。”我拉着乔乔往身后一个酒楼的快餐厅里走，“咱们就上那儿说。这事挺啰唆，一句两句还说不清。”

我们进了快餐厅，找了个角落坐下，我问乔乔：“吃点什么？”

乔乔愁眉苦脸地说：“什么也不想吃。”

“那就来两杯橙汁。”我去柜台端了两杯橙汁放在桌上，在乔乔对面坐下，看着她。

“求你了。”我们俩一齐说。

稍停，我们俩又一齐说：“有什么事就快说吧。”

乔乔头一扭：“真可笑，你先说吧。”

“你不知道我要问你什么事？”

“不知道。”乔乔没好气地说，“我知道的事全告诉过你了，真不知道你还想问什么。”她伏身注视我，“咱们别来警察审案子那一套好不好，有什么话就直说何必拐弯抹角？”

“好吧，直说就直说。”我坐正姿势，“我想知道刘炎的情况。”

我盯着乔乔，乔乔也看着我，她垂下眼皮，端起橙汁喝了一口：“我说过我不认识这个人。”

我撑着桌子挪开身子，叹道：“你看，是你不说实话吧。”

乔乔沉默不响。

“何必呢？”我说，“别人都告诉我了，你认识她还跟她很熟，瞒着不说有什么意思？难道咱们就这么耗下去？”

“许逊说的？”

“对，”我眨眨眼，“还有高晋。”

乔乔端起橙汁又喝了一口：“不让我说，他们倒给说了。你既然知道了，还问我干什么？”

“他们没细说，光说让我来找你，说你都清楚。”

“他们总是把难题推给我，自己当好人。”

“我怎么不知道你那个外号，你没跟我说过？”

“我为什么要把难听的外号告诉你？再多一个这么叫我的？”

“刘炎有没有外号？”

“有，”乔乔撇了撇嘴，“北极狐狸。起这种外号的人真是缺德。”

“她现在在哪儿？”我看了看双手已经很长的指甲，“北极狐狸。”

“我真不知道你老要打听她干吗？”乔乔直着脖子瞪着我低声嚷，“你真以为找着她就能解决你的问题？告诉你，你倒霉就倒霉在那把刀上，那把所谓包银的刀上化验出了人血，和高洋的血型一样。你就是找着刘炎也摆脱不了干系。刀是铁证，可笑的是你还居然说刀是高洋给你的。骗得了谁？”

“刀就是高洋给的我。”

“嘁，”乔乔不屑地一摆手，“随你怎么说吧，你跟警察解释去。他们信就行。”

“刀不是高洋给的我——是我硬跟他要的。”

“别找刘炎了。”乔乔坐正瞧着我，“别找了，刘炎对你没用。

你那七天不是和她在一起，你在瞎费工夫。你要证明你那七天的去向，应该多从其他方面其他人身上想想。”

“你亲眼看见我从高洋手里要走那把刀，当时你也在场。”

“这就是说，”乔乔看着我叹口气，“你非要我做证人，证明你从南方回来后又见过高洋？我们一直保你，说你在广州就和高洋分手了第一个走的，为这我甚至把我在昆明遇见高洋的时间提前到广州分手后，以便使你找到充分证据证明你当时在北京。你知道我担了多大风险吗？为了保你，我把高洋的死期整整提前了一个月。既然你不领情，非要往自己头上揽这件事，我也可以实话实说。对，我们都可以证明你在北京又见着了高洋，而且在我们大家都在场的情况下那把高洋买来当做工艺品后来成了凶器的刀被你据为己有。之后，高洋走了，你也有七天不知去向。这期间，只有我在昆明见了一次高洋，当时和他同住的人在旅馆登记簿上使用的是你的名字。再之后，你重新出现在北京，高洋则音讯全无，十年后他被发现死在云南的大山里被他送你的刀砍死。这都对了吧？这么说使你满意了吧？这就是你希望知道的事情真相。”

“我很满意，尽管换了一种说法，我的嫌疑也没大到哪儿去，我仍然可以说我那七天是和刘炎在一起。”

“你没有和刘炎在一起，这我比你清楚，因为那段时间刘炎是和我在一起，我们去了昆明。”

“你们去昆明干吗？”

“我们去赴约。”乔乔望着我，“刘炎去找她的男友，她非常焦急地想得到他的消息，他们失去联系已经有一段时间了。他们最后分手时曾约好在昆明会面，但届时她的男友没有来。她认为他一定是出了什么事，而我们心里很清楚，他一定是不辞而别了。这种事很普通很正常只是往往很难让当事人立即接受。”

“她的男友去哪儿啦？为什么她认为会出事？难道那是一次危险之行？”

“不知道，她没跟我说。我想一个人出门久久不归谁都会想到危险，认为他出了事，特别是女人；就是丈夫去上班晚回来一点也会引起担心，车祸啦，不正经的女人啦，这对我们来说都是永远存在的威胁。”

“那么你是认为她的男友抛弃了她，和另一个女人走了？”

“我不知道，我无法断言。”

“她男友是谁？”我问，“我们中的一个吗？”

“我认识，你也认识。”

“她没有找着她的男友对吗在昆明？”

“没有。”

“她的男友躲着不见她。”

“你可以那么说。”乔乔看看我，“也可以说她男友不光是不想见她，谁都不想见。”

“她的男友真是个狠心人。”我笑，往喝空的橙汁纸杯里弹弹已经燃得垂下来的烟灰，“后来她找不着就不再找了？”

“我想她一直在找。”乔乔说，“她病了，她知道那个男的不想再见她，但她仍想和他见一面。她一直在不停地给那个男的打电话，但那个男的已经把她忘了，不是不接电话就是拿起电话胡乱答应一通，让她一次又一次地等，可他一次也没来过。”

“他们当年很好是吗？”

“用‘好’形容他们的关系不贴切，他们既缠绵又疯狂，当年看见他们的人无不感到惊心动魄。他们就像锈在一起的螺钉螺母互相咬着劲……”

“这一切是怎么结束的？我指使他们脱钩的第一道裂缝。”

“很家常，那男的又看上了另一个女的。你见过哪一个男的是知道餍足的？”

“她得的是什么病？你说她得了病？”

“红斑狼疮——她一直在打电话，直到临终。”

十九

夜已经很深了，我独自沿着窄街向归处走去。我走过街口卖馅饼的小铺子，走过菜站、副食店、修车铺及一条条幽暗的胡同，总摆脱不掉被一双眼睛跟踪、窥视的感觉。我边走边回头看，街上柏油路面在路灯下泛着晕黄的光泽，空空荡荡没有一个人一辆车。我无意识地抬了下头，想看一眼风清月朗的寒空，我看到了丁字路口大槐树光秃的枝丫上落满层层叠叠的乌鸦，那扰人的视线就是从树上射下来的。我从大槐树底下走过，树上鸦雀无声，我感到某种沉甸甸的分量。当我走出很远隐没在黑暗的胡同中时，我听到远远的树上传来一阵翅膀的扑腾声，大群乌鸦离枝像一股黑旋风盘卷而来，飞临我头顶缓缓与我同行。我在漆黑一片的胡同里行走，愈走愈接近矗立在夜色中的黑色楼房，一只鲜红的蝴蝶在我眼前出现，忽忽悠悠地上下飞舞若隐若现。

我想那天夜里的确有人一直跟着我，后来发生的一连串事情明显带有人为的痕迹。在我走到楼前时，似乎有人在我前面上楼，我看着楼道的灯一层层亮了，而当我走进楼道上楼时，又似乎有人跟着我上楼，每当我走一层下面一层的灯便灭了。我在顶层站了很久，但没有人露头也没有脚步声。我在顶层停留的时刻，灯一直亮着，直到我开门进了屋，那灯才倏地熄灭。这一切都像经过安排，但若由人来执行必须有超凡的敏捷。

屋里的电路最初是完好的，灯可以打开，收音机可以拧响，水龙头有水，电话也可以打出去。我拿起话筒听了一下，里面有忙音。灯是最先熄灭的，接着一切都被切断了。我先是以为停电，但我走到窗前往外看，对面楼道的灯仍明，附近这个街区的其他建筑上也有灯火；后来我发现水龙头和电话都断了，我明白这一切都是针对我的。

我坐在屋里静静地等待，我认为这些将我隔绝起来的措施都是某种行动的前奏，即便是在这种情况下我所想到的仍是个人的安危。

没有人上来，那天晚上在我清醒的时候始终没出现任何动静。后来我睡着了，半夜似乎来了电，满室通明，有人在说笑，电话铃一阵接一阵地响，水龙头哗哗流水，总而言之，很热闹。我弄不清是在做梦还是真有其事，也没多想，仍旧昏昏沉沉地睡。

第二天早晨，我在刺眼的阳光中醒来，我感到睡得很不舒服，被子不知道滑落到哪儿去了，我伸手去拉，手摸到冰凉地面上蹭了一手灰。我睁开眼，发觉天花板很高，身下很硌。我猛地坐起，发现自己睡在地板上，室内空无一物，地面落着厚厚的灰尘，墙角挂着蜘蛛网。那些家具陈设都不见了，我的包扔在地上。我站起来急急走出去，各屋都空荡荡的落满灰尘，马桶水池锈迹斑斑，没有洁具没有电话没有我亲眼看见过的一应什物。百姗卧室的门依然紧关着，我推了推没推动然后用力踹了一脚，门后的一个沉重的物体移位了，门开了一条缝。我又连踹几脚，一个物体轰然倒下发出巨大的声响，门大开了。门框上的尘土纷纷落下来，一连串的蜘蛛网被扯破了。我进了屋，看见地上倒着一个高大的檀色书架，一个金鱼缸摔得粉碎，烟蒂散落一地。屋里摆着三张床，床单被褥封满灰尘已经看不出原来的颜色和图案。门后有个脸盆架，香皂已经石化，毛巾干瘪瘪地翘着边儿，桌上散放着一副扑克牌，纸面已经发黄，无论桌腿床腿都布满累累刀痕，那刀痕也已经很旧了，和其他地方的颜色浑然一体。我小心翼翼地走进房里，像走在雪地上在积满灰尘的地面留下一行清晰的脚印。我弯腰拾起桌下的一本相簿，掸去上面的灰，一页页打开翻着；在其中的一页上我看到了一处空白，我把刘炎的照片拿出来，插在上面，画面完整了。那上面有我、高洋、许逊、汪若海、乔乔、夏红和冯小刚。冯小刚是个矮瘦孱弱的小个子，脸上浮着羞怯的微笑。我发现在一张狭长的合影上我们都穿着一个式样的条格衬衫，像是一支球队。我还发现这张合影上有百姗，她站在我身边，容光焕发地笑。刘炎站在排面的另一端，挨着冯小刚，强笑着对着镜头像她那张单人照一样垂着眼皮儿。我发现这张合影上少了一个人。我翻阅着整本相簿，发现这个人只出现在我们的少年时代，成年后便不露面了，所有的人都以各种姿态出现过，唯独没有他。这个人就是高晋。

我合上相簿出去，发觉无法将门重新关好，那书架必须从里面顶住，我只好任门那样敞开着。

我的包被人动过，那只我一直塞在里面的灰色女用挎包被人抽走了，在装得满满的包里留下一个空当儿；我把相簿放在那个空当儿里，拉上拉链提起包开门走了。

我向楼下每一个遇到的老人、孩子、姑娘询问这楼上的住户情况，没有一个人认识百姗或者李江云的。一个住在对面楼上的老太太告诉我，这幢楼上原本就没有什么住户。这批楼房是同时盖好的，但这幢楼始终没有人来住，一直空在那里，对此附近住房紧张的居民曾有过一些议论，也曾找过房管所。据房管所的人讲，这幢楼已经分配了出去，至于这些人分了房子不来住那不关他们的事。

我去了房管所，查出那套房子是分给一个叫高洋的人。他们并不知道他不在那儿住，因为他每月总是按时交纳房租水电费，有时半年交一次，非常主动，从没等人上门催过。房管所的人还给我看了一些原始档案，上面有那个叫高洋的人办理住房手续时留下的一些笔迹。

二十

除夕之夜，城里大街小巷响着密集的鞭炮声，犹如爆发了政变正在进行激烈的巷战，半个城火光冲天。

我在全城寻找李江云，找遍了她去过或可能去过的地方，到处不见她的踪影；我询问了所有见过或可能见过她的人，所有人都对她一无所知。

那天夜里的情况很混乱，像是一场大撤退。街上到处都是纸屑余烬，偶尔驶过的汽车无不是高速。街上除了一群群小伙子不见妇孺，爆炸声不绝于耳；随着一声声钝响，时而有拖着火舌的物件嗖嗖横穿夜空，在街对面的民房或空地上爆炸。我要找的人都不知去向，房门紧锁，门前楼道一片狼藉。

我弯腰穿过硝烟弥漫的街道，身边不时响起爆炸声溅落一团团火球。我找到一个公用电话亭，躲进去关紧门打电话。这个位于街角的电话亭立刻成了藏在暗处的一伙人的射击目标，密集的火力从四面八方射来，一道道曳光划过夜空织成一束束扇形的斑斓光芒；一星星五颜六色的光点自远而近笔直飞来撞在玻璃上迸裂燃起耀眼的火焰，化为姹紫嫣红水一般沿着光滑的玻璃流淌。我给所有人的住宅打去电话，铃声在全城各个昏暗的角落响起，我再次证实了那些住宅空无一人。

早早上床睡觉了的刘会元，被接连不断的电话铃声弄得心烦意乱，赤脚下地拿起电话。他对我说，他也想不出这些人会去哪儿。据他所知，前些时候一直到昨天，有成千上万的人云集火车站，带着大量行李，急于离开此地，报载铁路当局还专门为此增开了几十对列车。

高晋饭店一个值班的小姐非常温文尔雅地告诉我，“高总”节前好几天就已经不上班了、休假去了。经过我再三询问，她查出高总经理曾在饭店订了一张去南方的火车票。“高总”平素出门都是乘飞机往来，这次订的却是张火车的软卧票。她们觉得很特别，所以印象很深。

“那趟车是今天晚上的。”小姐彬彬有礼地说，“我想此刻‘高总’正在去火车站的路上。”

一辆计程车停在车站大楼前的停车场上，后门打开，一个穿黑色西服的男人下来，手里拎着一只带着密码锁的硬壳公文箱。计程车开走了，他向灯火通明的车站大楼内走去。同城里喧嚣狂热的景况相比，车站大厅显得很平静很冷清，从下午起这儿已经是旅客寥寥了。此刻当晚的大多数列车楼的巨大电扶梯停止了运行，站内商店也不再营业，一些值勤的警察和车站服务员零零点点散布在空旷大厅的各个角落安详地或站或坐。

我看着高晋沿着楼梯上了二楼，穿过边廊，没有进软席候车室，而是进了普通旅客候车室。他走得很沉稳，目不斜视。在大厅里如果他稍微侧一下头，可以发现我在他身后，而他没有。他的身体在中国人里算是高大的，在人群中尤其明显，他的头总是露在上面。他从小就是同辈人中的高个子，因而在发育过程中有些驼背，这使他在行走时有些上身前倾，看上去总像是很清楚前边等着他的是什么。

我到车站售票处遍查挂在墙上的大幅木制列车时刻表没有找到这趟车的车次。实际本站始发的所有列车在午夜前后就已经全部陆续发出了。

我敲开一个已经关闭的售票窗口，向睡眼惺忪的售票员询问。售票员并不回答我，只是问我是不是要买那趟车的票，得到肯定回答后，便收了钱扔出一张票随即把窗口砰地关上。

该次列车发驶前候车室没有广播通知旅客检票进站，似乎偌大的候车室里除了我和高晋也没有其他旅客乘这趟车。我随后的行动只是机械地模仿，快到车票刻印的发车时刻时，他站了起来，通过检票口进了站；在他离开候车室后过了一会儿，我也站起来，检票进了站。

当我通过长长的空中走廊前往站台时，我回头看了眼廊窗外的城市。夜幕下的城市已经烟消火熄一派宁静，大半城市已经黑暗，只有一些高大建筑物镶挂着灯泡轮廓浮浮凸凸。

我尚未乘车离去便已感到这个城市遥远了。

站台昏黄，停着一列暗绿色的火车，车厢只有短短数节，车窗紧闭，从窗帘缝隙处透出少许灯光无声无息。车厢门口没有通常站在那里的列车员，站台上也不见一个工作人员，这趟车就像是一个专列或是并不打算开走的列车。高晋不见踪影，似乎已经上了车。站台上没有别的车，唯此一列。尽管如此我还是沿着车厢走了一遭，辨认清了列车中部挂着的标有起始站和终点站的方向牌的字，才从一个敞开的车门上了车。

车上没人，一节节卧铺车厢里一层层铺位床单雪白，卧具整齐。我找到自己的铺位坐下，放好提包，站到窗前。站台上和车厢里仍毫无动静，也不见列车员来换卧铺牌。这时，我听到关闭车门的“砰砰”声，车动了，轻轻震了一下便开起来；没有广播，没有音乐，也没有鸣笛，静静地滑出站台驶过城市进入了黑暗的田野。车厢里的灯一齐熄灭了，与此同时走廊上的夜灯在车壁底部亮了形成了一条微明的过道和一方方漆黑的铺间。列车在运行，整节车厢就我一个人，听不到车轮碾压钢轨的铿锵声，四周是那样寂静就像我突然失聪。我咳嗽了一声，听到了自己的声音，但还是听不到车轮滚动声，唯有车厢在轻轻晃动显示出运动中的节律。我没脱鞋躺到铺上拉过毛毯盖在身上合眼睡去。我很快睡着了但知觉仍然清醒，仿佛站在车窗前看着黑色的田野大片地向后掠去，原野的风透过车窗吹拂着我的头发。

我醒来后天已大亮，车窗外的田野如我梦中所见那样大片地向后掠去，我对面过道上的车窗不知被谁提开，风猛烈地灌进来。阳光一点点在荒芜的田野上蔓延扩散，车轮撞击着钢轨发出有节奏的铿锵声，伴随着这种铿锵声车厢在剧烈地晃动。

夜里，车厢上来一些人，散坐在过道的窗前，都是些须眉斑白的老人和像我一样苍白消瘦的年轻人。他们无一例外地是单身一人，互相冷漠地隔着很远不打招呼，郁郁寡欢地瞧着窗外。

原野已经被强烈的阳光笼罩，空旷冰冷的大地上洋溢着温暖的金色光芒，这温暖和冰冷是那么和谐地并存着，互不相汇又彼此相容，就像一对并不般配的夫妻站在一起，恰成对比离了一个又失怙恃。

列车行驶在北方的大地上。冬天的北方，赤地千里，河流干涸，树木凋零，极目所眺，不见人烟。

一列载满旅客的列车相对驶过，车窗迭闪，轮声骤强，转瞬不见，又是一望无尽的原野。一路上我们遇到不少次列车，方向都是和我们相反，没有看到一列同行的火车。列车的奔驰，陆续闪出、展现在我面前并迅速向后延伸缩微的景物中出现了绿色：徐缓绵亘的山峦上荫遮密覆的松林，亮汪汪的水田内嫩翠的稻秧。河川多了起来，河水也开始流动，地面有了村庄炊烟，天空有了飞鸟白云。看景致变化，列车是在向南开进。

午后，我们开始连续地过江过河驰过一座又一座桥梁，起初我还凭借着自己的地理概念根据河流的宽度、流量和流域周围的地貌判断着河流的名称黄河、淮河、长江……但就在我认为我们已渡过了集中在大陆中部作为中国南北不同地域标界的所有大河——珠江尚在千里之外——我们面前又出现了一条宽阔汹涌的大河。大河大桥的引桥连绵数十里，人坐车中渐渐升高当升至最高点时已经驶过的村镇、河流、山脉又陆续出现在天际出现在视界之内。大平原东边数百里外有一个庞大的工业城市，城市上空积着厚厚的大片废气云，阳光都显得黯淡，按照城市规模和人烟稠密程度以及方位来看只能是上海，可我们这一路上不管处于什么位置能见度有多好也不应该能看见上海——我走过这条铁路线。

列车匍匐爬行在凌江而架的高桥上，从车窗向下望去一根根桥柱由粗变细笔直地扎向江心，江水在翻滚在柱与柱之间横流，远处无尽的江水源源而来。我看到上游的崇山峻岭和漫山遍野的森林，我简直弄不清列车离开的是哪个省将要进入的又是哪个省。这一切都和我熟知的中南地区的自然风貌大不相同。

江水滔滔横流，弯曲的河道在远处画了一个大弧没入地平线，彼岸渐渐远去最后消逝在一片水色迷蒙之间。触目所见皆清波碧涌远接天外，我们仿佛行驶在一个辽阔的湖上，湖面寂寥，片帆不举。湖面上，下起斜斜的细雨点点激水波峰浪谷涟漪。桥势已降，我们几乎是贴着水面驶行，浪拍车壁，水溅车窗，印渍滑淌，潮气模糊，湖面变得绰约朦胧。车厢内暗了起来，车灯齐亮，我们像是在雨中乘船航行。车窗上不再有新的雨点打上，水汽凝聚成一滴滴亮闪的水珠，窗外景致由模糊变得再度清晰。夕阳斜晖最后照亮了水面便敛芒沉没了，外面已是汪洋一片，碧波清涟被浪飞涌伏替代，雪白的海鸥在蓝色的波涛上飞翔。月亮升了起来，澄辉银泻，月光下的海面玉田万顷，风吹稻浪东倾西伏，一夜伴月，涛声入梦。清晨，阳光万道射入车厢，列车已驶在艳阳万里的大地上。车窗外仍是千波万涌，一望无尽，这是真正的稻浪随风起伏滚至天边。稻田尽头的平原上出现了一座人烟阜盛、楼厦密集的大城市。远远望去，城市上空岚气氤氲，城中间有一条亮闪闪的河流过，房屋、树木、街道错落有致，井井有条，行人、车辆历历在目。

列车蜿蜒着，慢慢接近那个城市。车窗外不时闪过苍翠茂盛的热带植物：高大槟榔，蓬散的鱼尾葵，果实串串的芭蕉和低矮多刺的仙人掌。村舍中既有南国风格又有西洋式样；公路上跑着一辆辆小汽车、大客车和卡车，阳光几乎是直晒大地毫无遮拦，车厢温度急剧升高热气烘脸。列车已经开始进站，同车人已经在阳光中更衣，取下行李架上的包，他们第一次活动起来，脸上有了生气；打开车窗探头探脑看迎面而来的站台上有无来接的亲友。

直到列车在长长的站台全部停稳，我仍不能确定这个城市是不是我要去的那个城市，尽管它们很相似。

二十一

我是最后一个下的车。我看着高晋从车窗下走过然后离开车厢从车门出来。在站台上，我看到一个女人在远处向高晋迎上去，两人笑着说了几句，那女人接过高晋的手提箱一起向站外走去。与我一同下车的旅客都有人接，唯独我是一个人。一个站在站台上背着手注视着走过的旅客。似在清点人数的警察看到我怔了一下，叫住我问道："你没人接吗？"

我说有，"在站外"。他又问我，"从哪儿来？"我随便诌了个沿途的地名便走开了。我感到这个警察在背后一直用怀疑的目光盯着我。

出站口像所有车站那样围着很多人，都是接亲人的。几乎每个人手里都举着一块牌子，上书"某某你的某某在这里"。有父母等子女的，子女等父母的，更有妻子等丈夫丈夫等妻子的，我不懂他们既然都是直系亲属为什么还要举个牌子生怕对方认不出自己。他们中有些人似乎已等了很多年牌子因风吹日晒字迹残缺模糊，人也显得灰尘满面疲惫苍老。见到我出来，很多人围上来问我从哪里来乘哪趟车后边是否还有人。我一一作答不厌其烦。他们显得很失望又不愿散去继续往站台里张望。一个举着等妻子牌子的年轻人见我单身一人便问道:“怎么没人接你?”这是我下车后第二个人这样问我了，我不由警惕起来，打量着这个年轻人说:“我家不在这儿,我在这个城市也没亲属。”小伙子眼里是怜悯、同情:“这么说你是你家头一个到的了。”

我走到车站广场，各种颜色的计程车一辆接一辆，常常是几辆并行疾驶而来；稍停接上客人又像一群群五彩斑斓的大鸟飞快开走。

高晋和那个女人钻进一辆红色的计程车，沿着广场中心的绿地转了一圈驶上高架马路向城里开去。我上了一辆白色计程车，跟在他们后面驰去。

高架马路穿行在市区半空，两侧写字楼里忙忙碌碌的男女职员和公寓楼里各家居民的室内陈设一目了然。这个城市大片旧建筑中新竖起越来越多的现代化大厦。马路下面的闹市区广告招牌、霓虹灯比比皆是，繁华商业街一条挨一条，人群熙攘车辆川流，形成一大片五光十色跳动着活力的花花世界到处充溢着阳光。从这个城市热闹非凡的市内景象和人群穿戴举止以及说话口音我还是相信我没到错地方，但我仍摆脱不掉一种异域感和隔世感。大概是因为这儿的阳光太充沛太明媚，人们脸上的表情和笑容太满足太得意，这和我在多数内地城市司空见惯的人民精神面貌大不相同。整个城市上空飘浮着一种扑面而来的无忧无虑的富裕气氛；车窗外闪过的高级商店和豪华餐厅琳琅满目顾客盈门。这无忧无虑的气氛是那么浓郁、盲目、无处不在使人感到做作、过分，似为掩盖某种圈套而刻意制造——一种人人心照不宣全市居民都参与了的针对不知情者的诡计。这个城市的弥漫阳光中透出某种阴冷险恶。

红色计程车在前面的车流中忽隐忽现。

汽车冲下高架马路，驶入一条条楼厦的峡谷间，车速减慢了，插入长长的车龙缓缓挪动。两旁大厦的无数玻璃窗和底层商店的一排排橱窗闪闪发亮，镜子般明晃晃反着光。车两旁走着络绎不绝的行人，片语残笑飞进车里。

汽车拐入一条林荫道，这里路面较宽，无几个商店和行人，车速提高了。路边闪过一座公园：连绵起伏的波形矮墙，墙覆绿瓦，竹林荫蔽，每隔数步洞开一个象形窗，依次排去可见园内有丘有水有累累花果。公园过尽，路边出现一条暗绿色的几乎停滞不流的小河，河上浮着一团团浮萍，便道上布满青苔，河对岸房前屋后到处可见芭蕉、铁树、鱼尾葵，河畔一座白色大厦挂着几家出版社的牌子。红色计程车停在出版社对过一家酒家的牌坊式门前。我们高速驶过红色计程车旁，我看见高晋和那个女人正在下车，那女人下车后脸转向马路，我认出她是夏红，当年我们那伙里最后一个不知下落的，我早把她忘了，但显然她没忘了我们。白色计程车拐过街角停下，我付了钱出来，向那酒家走去，眼前是阳光明媚的街道和熙熙攘攘的人群，街对面夏红和高晋刚才站过的地方站着一个东张西望的胖外国男人。红色计程车已不见，现在停着一辆银灰色的“沃尔沃”小汽车。我继续往前走，尽管阳光弥漫仍感到天光黯淡像是阴天走在街上。

我看到各种各样的人从不同方向往那个酒家的门里走，像是无数小鱼被吸进一条大鱼大张着的嘴。我在酒家门口也感到一种身不由己的吸引。

我一进到这个酒家的大厅里便感到进入了一种熟悉的情景氛围。

大厅里尽管开着灯仍然相当昏暗，足有四五百人坐在那里又吃又喝，默不作声。同时，在这四五百人身旁左右又活动着很多隐约可辨的黑影，重叠纷乱，同样在吃在喝在比手画脚做着各种手势无声无息地走动，同此刻正在餐厅里坐着的人们各不相扰，像是一张经过无数次重复拍摄的底片，各个时期的人都把自己的映象留在了上面。

高晋和夏红坐在大厅一侧的落地窗旁，摆了一桌饮料点心却不吃不喝，各自垂着头。他们好像在等人，始终在桌旁保持着一个空位，很多走过去想要在那张空位上就座的人都被他们谢绝。

我在一个离他们很远但可以清晰地看到那张桌上发生的一切的位子上坐下。

大厅里暗了一下，我扭头向门口看去，阳光强烈的门外进来一个高个子男人，由于背光他的脸几乎全是黑的看不清五官。他向厅里走来，当他完全置身于昏暗的厅中我看到他穿了一件条格衬衫，我认出他是高洋。

大厅暗下来像是到了黄昏，几百人仍坐在那里无休无止地吃喝，像是一出冗长的戏里的群众演员，戏不完就永远在背景上做吃喝状。

二十二

“你早就想到是我了吧？”高洋微笑着看着我，“你一点不吃惊。”

“从我听到那个姑娘形容玩她的日本人开始。”

我们并肩走在公园里的长湖岸畔。夕阳晚照，水波耀眼，湖四周的树林已经阴沉沉一片鸦雀无声。彼岸林外，华灯初上，楼堂厅轩晚宴正盛，灯窗人影迤逦一岸，偶有喧声笑语越水飘来。

高晋、夏红走在我们身后数步开外。

“当那个女编辑对我描述她遇到的那个古怪深沉的作家时，我就更多地想到你，此种手法非我族类概莫能谙。”

“还是因为我演技太差，再专业些，恐能乱真。”

“最主要的还是那刀，既然那刀已被定为凶器，死者当然不是你。”

“那是个漏洞。”高洋不胜遗憾地说，“如果我当时决计不允你拿走，只怕你还且糊涂呢，起码要再费些周折才能理顺。”

“只怕那样警察也找不到我头上，咱们也见不了面，我仍以为你在菲律宾种烟叶。”

“那样的话这个游戏还能多玩些日子。”高洋微微笑着说，“尽管我早就对这个游戏腻了，但如此终局，毫不惊人便水落石出我还是有点扫兴。其实当年我们考虑让谁参加游戏选择了你时，冯小刚就提醒过我们，弄不好到头来我们精心策划只是成全了你，让你玩个痛快我们倒成了你的配角。当时我还不以为然，以为你谈恋爱谈得很得意很忙碌，不会喧宾夺主的。主角还是我们，你只不过是整个水流中的一个小小的跌宕，使水流千回百转的一个弯曲，警察劳神费力最终发现你只不过是被人盗用了名字，对整个事情一无所知。”

“你低估了我。”我笑着说，“我是从不放过当主角儿的机会的。”

“我早该清楚。”高洋笑着说，“咱们这些人里没有一个是省油的灯，都想显得自己重要，都想在事件中成为中心人物。这么多年了，你就没有找到一个更有意思的事情，成为这个事情的中心人物？”

“这么多年，只有这件事让我觉得有意思。我突然发觉过去我是个重要人物，干过一些重要的事，这些事重要到居然使我有理由有胆量去杀人，这实在是激动人心，也就是说我也不一直是个庸常之辈。我真希望这些事就是真的。当年我们的确干过一些无法无天的事对吗？抢劫啦走私啦盗宝啦，我想杀人没我份儿，这些事我总参与了一些。当时咱们是在一起，有目击者对我说过，当时咱们是一集团，很活跃很恣肆的犯罪集团。”

“没有抢劫没有走私盗宝犯罪集团诸如此类的，有的只是无聊的吃吃喝喝和种种胆大包天却永远不敢实行的计划和想法。我们只是一群不安分的怯懦的人，尽管已经长大却永远像小时候一样只能在游戏中充当好汉和凶手。我们都想当主角——惊天动地万人战栗的主角，但命中注定我们只是些掀不起大浪的泥鳅。”我们已经走进湖深处的岸上，四周是笔直、株距均匀的水杉，夕阳已经落去，天、林、湖黯淡下来，满目苍郁寂寥。我们站住，湖内林间冰凉，潮气渐渐袭身。

“那天饭后，最后一次热闹的饭后，我们辞别众人便来到这里。”高洋双眼如洞，盲人般地微笑，“装得很从容，装得有什么重要的事急着去干，装得要在一个遥远的地方神秘莫测地消失，其实无处可去。钱也花光了，此地也混不下去了，出来时一路用嘴跟人云雨着号称去扎哈蟆谁都以为你神通，如今蛤蟆，在哪儿？仍然不知道。弄了半天气氛怎么来的怎么回去？扯了个大淡；还不还借的钱倒在其次，那得失了多少人的望，自个往后还怎么侃谁还信？”

“真得窝囊一辈子。”

“那不是咱们的脾气，既然晃了人，那就只好晃到底。这主意是冯小刚出的。”

……那天傍晚，就在这湖边，哥几个正无聊，冯小刚看了半天湖水回过头来笑着对我说：“你说咱哥俩一人抱块石头，沉进这湖里没了，别人会怎么说咱们？”

“那还不得以为他们有了两个美国亲戚。”高洋懒懒地靠着一棵杉树吸烟，缕缕青烟从他嘴里飘出，和林中缭绕的雾气混为一体。月亮从黑森森的林穹上方升起，林中清白，树影重重，每个人的话语都像缥缈不定的雾气幽咽嘎哑。

“那咱们跳得了。”冯小刚人影模糊地走过来，从声音中可以听出他带着笑意，“跟他们逗逗咳嗽。活得怪没劲的，咱死个悬念出来。”

“那图什么？没劲。咱们扑腾的原则不就是害谁都成别把自个搭进去。”

“我觉得有劲，什么原则？玩的就是心跳——咱不是谁也害不上了吗？”

“那得编排好了。”扑通一声一块石头掉入湖中水波四漾，一个人影绰绰约约地走过来，“这湖忒浅，泡两天就能浮上来，死就死个彻底死个无影无踪那才有意思。这儿不行。”

“你说死在哪儿，怎么个死法儿？”两个人转头看这人。

“一个从来没人到过将来也不会有人到过的地方，能安安全全烂在那儿的地方，只有你不被人发现才能敞开演义。”

“不好。”一个女人影子走过来，“哪有这种地方？你就是爬上海拔几千米，以为特原始，随便扒开一个草丛就会发现已经被人尿过。要我说最后还得让人发现这才热闹，我们要在尸体上制造一些残缺，使之看上去不是自然死亡，那多有意思，多少人得乱起来，为之绞尽脑汁。那才叫死得其所，谁也甭想闲着。”

“怎么着，你们一个个都有主意，合着早动了不止一天脑筋了。”冯小刚的声音。

“我同意弄成谋杀，先失踪，该怎么演义就怎么演义，再改谋杀。来个高潮乱个彻底。那咱们得有分工，不能都死，一个人死，一个人当凶手，总得有凶手吧！要是谋杀案的话，这才像真的。”

“你这意思就得哥哥当这死者了？”冯小刚笑着对高洋说，“你当凶手？怎么好事你总不拉下？”

“凶手难当。”高洋笑着说，“你想啊。老得躲着，被人追着，最后再碰上昏官说不清也难逃一死。死者多舒坦，跳河一闭眼没事了，净等着看热闹。别人怎么忙你反正老是躺着数你合适，你要不乐意，那咱俩换。”

“这么说倒是你疼我了？得得，我就当这死者，谁让这头儿是我挑的呢。”

“凶手的确需要很高的要求。”女人说，“要玩咱们就玩个精彩的，要不就不玩。凶手不能是个大路货的凶手，只知道藏躲，要有智慧，要使案情尽可能地复杂。我有个设想仅供凶手参考：凶手要有多重身份，譬如冒用某个人的名字，从案发前就以别人的身份出现。这样侦破起来就要绕很大弯子，我们不能让警察太轻松地就逮着凶手。”

“可以用方言的名字。”男人说，“他活得比较来劲，咱给他添点乱，别让他太得意了。”

“我不同意。”冯小刚说，“你们把案情搞得太扑朔迷离，最后破不了案，噢，你们逍遥法外，哥们儿算白死了？”

“你得相信政府。”女人安慰他，“政府手里没有破不了的案。”

“另外我也不同意拉进无关的人。”冯小刚嘟哝着，“方言这人我信不过。万一丫起‘范儿’把活儿接过去自个耍，咱们设计半天倒没咱们什么事了。有这样的人，没事还找事呢。”

“这倒也是。”高洋说，“不过换别人还不如他，咱们熟的这几个哪个是见事躲着走的？”

“我说你既然生死已置之度外。”女声冷冷地说，“何必还计较这虚名。”

“告诉你，我舍生取义可不是为了当无名英雄。我是不是可以获得保证，哥们儿成仁后会成为议论的中心，对此你们有责任。”

“我们发誓，一旦谁也不可能再见着你后，我们就对所有认识和不认识你的人述说你的故事，把所有没人认账的坏事全栽在你头上，说你如何抢劫如何风流现在又如何在另一个世界享福，你会成为民间口头文学中的传奇人物，所有憧憬和幻想的伟大实践者。当这些议论和传说变得陈旧和索然无味时，当你开始被人遗忘时，如果没人发现你的尸体我们就去发现，然后报案，使你重新成为热门话题，成为人人关注的人物，让活着的人为你不安为你心烦意乱。我们保证使你十年内仍活在人们心中，十年之后就不好说了，那些伟大的革命先行者们都很难在人们心中活到十年以上，我觉得你应该知足了，十年也就接近于不朽了，含笑九泉吧。”

“我希望能尊严地死去，我不想在死前受到哪怕象征性的折磨。”

“作为凶手，我给你充分的自由选择告别人世的方式，我倒不在乎我是不是名不副实。”

“你可以跳河跳崖上吊抹脖子，随你喜好，挨个试试也可以。”女声说，“你有这个权利，关于各种死法的滋味你可以作为最后的悬念带进坟墓。”

“十分感谢各位的好意。到底还是哥们儿好说话。”冯小刚笑着说，“我看这事就这么定了。”

“就这么定了。”高洋说，“我想这事玩起来肯定特有意思，能把那帮傻 × 蒙一个结实，到最后谁也弄不清为什么，做梦也想不出咱们的动机。”

“我想这件事既然商量好了咱们就真干。”女声说，“别又像以前似的嘴上热闹半天最后又没事了，也不知过什么干瘾呢。”

“真干真干，这回长志气了。”冯小刚说，“不干是孙子。”

“为了纪念这次有意义的谈话，我建议大家在这儿留个影。”那个沉默了半晌的男声慢悠悠地说，“立此存证。”

“那儿有个亭子，我们到那里去。”女声说。

月光下，四个人影走到湖边。湖水泛着银色的粼光。亭子黑糊糊的，四个人一进去便消逝在黑暗中。“咔嗒”一声，随着快门的按动，骤然亮起的闪光灯把亭子照得雪白刺眼，高洋在强光下微笑，脸如白纸口眼如洞。强光再次闪过，冯小刚脸如白纸口眼似洞，转瞬即逝。强光再次闪过，刘炎双眼下垂，两手交叉，嘴微张。快门迭按，强光迭闪，刘炎像是被凝固在耀眼的光芒中，她身后的竹亭柱栏显出清晰的斑斓光滑的纹路。

“你不照吗？”

当亭子又复黑暗，湖水又复粼粼闪烁，有人问拍照者。拍照者回答：

“没卷了。”

一行人沿着黑魆魆的林带走在月光明晃的湖岸，高洋的声音遥遥传来：

“怎么着，哥几个还当真了？”

阴雨连绵，街道房屋树木都湿淋淋的，房檐树杈上流淌着水，行人或穿雨衣或打伞遮掩着头部在雨中来来去去。这街景时而清晰时而模糊——刷雨器有节奏地一遍遍抹去前挡风玻璃上的细密雨珠。

计程车缓缓穿行在雨中的城市街道上，一条条街道一座座楼厦接踵迎面而来，这阴蒙蒙的天气中楼厦大多亮着黄糊糊的白惨惨的窗户。

车里挤着四个人，虽然是清晨，四个人都带着醉意。高晋坐在前排，茫然地盯着前方飘忽不定的街景和匆匆横穿马路的行人。高洋坐在后排一脸傻笑，冯小刚夹在他和刘炎之间困得眼睛都睁不开，不时耷拉下头歪倒身子。每次他滑下去都是刘炎把他扶正托起下颏，冯小刚就问："到哪儿了？"

"到泰国了。"每当冯小刚问，高洋就傻笑着回答。

"少拿哥们儿开涮。"冯小刚看到仍在这个城市里转圈，生气地说，"别以为哥们儿糊涂，哥们儿心里明镜似的，你们还别乐。"冯小刚转着头看着左右的高洋和刘炎，"你们乐什么？"

"没人乐。"刘炎说，"你自己在乐。"

"我在乐呢。"高洋认真地说，"我一想起这事就可乐，觉得肯定特好玩。"

"你丫乐吧，我一高兴不死了，看你丫还乐不乐。"冯小刚又耷拉下头歪向一边，刘炎再次把他扶正。

"别碰我。"冯小刚嘟哝着说，"坐着车呢，你老胳肢我干吗？"

"让你看看外边，最后一眼再不看看不着了。"高洋说。

"高洋你少说两句。"刘炎说高洋，"你非把这事再开成玩笑是不是？"

"别叫我高洋。"高洋看着刘炎，"从现在起我就是方言了，用新的名字称呼我。"

"怎么你成方言了？"冯小刚挣扎着仰起脸说，"现在我是方言，我死后这个名字才能遗传给你。"

"都记着点。"刘炎平静地说，"别刚出发就乱了套。"

高洋傻呵呵地笑。冯小刚看见他笑又生了气："你丫又乐。"

"我乐方言呢。"高洋说，"他被咱们拴进套里还不知道呢，到时候我满世界刷上他名字，让丫说不清。"

"真他妈坏，你们真他妈坏。"冯小刚笑着说，"真欺负老实人。"

计程车出了城，在笔直平坦的公路上飞驰，两旁是浸满水的田野，沟渠里白亮亮的水汩汩地流着，青灰的天空乌云疾走。远处山麓下的空地上疏落停着细如香烟的银白色飞机。

那是座刚刚装修一新便在风吹雨打和人手践踏下里外陈旧褪色了的饭店。每层楼的走廊都很狭窄铺着深红色的化纤地毯，墙壁糊着褐黄色的墙纸，终日客人川流不息，即便是白天开着灯也仍然显得昏暗嘈杂。饭店底层的大厅也很局促，到处摆着弹簧已经凹陷的人造革沙发和落满灰尘、叶片耷拉的盆栽绿色植物。每个角落都或站或坐地挤着一群群在灯光下脸色苍白的男人和个别女人。所有的人都在抽烟吞云吐雾比着手势大声说话，生动地变换着脸部表情或喜或悲，无论白天黑夜饭店上上下下每个房间和厅堂总是挤满人，毫无顾忌地大声喧哗，亮着灯烟雾腾腾。

四个人分头住在顶层的房间里，间或出现在走廊或大厅里的人群中，没人注意他们。四个人总是满身酒气，特别是其中的两个男人常常醉得语无伦次东倒西歪。他们在人群中东游西串，和女服务员调笑和素不相识的人搭讪，有时甚至无端和人争执，咄咄逼人摆开要大打出手的架势，经人相劝又立刻笑容可掬递烟点火邀人共饮。一个叫明松的客人通过攀谈结识了他们中的一人，那个人自称方言，给明松留下了自己在北京的详细地址，“以后有事尽管找我。”

女人常独自待在顶层的房间里凭窗眺望，窗外马路对面是一座苍苍郁郁的山丘，山上是这个城市的动物园。每到夜深路静时，可以听到从山上黑黝黝的林中传来猿啼虎啸。

长途汽车满载着人飞驶在青翠的大山之间，红色的河水与车行方向相逆而流，滔滔不绝。连绵的大山波伏涌起漫至天尽头。四个人坐在汽车里，随着山路的起伏而起伏。忽而升至山顶，天空地旷，群山尽收眼底；忽而沉至涧边，草深林密，水声咆哮。

河对岸时而出现一座倚山构筑的小城，房屋错落层叠，云雾散漫缭绕，如一平面悬挂不讲究透视比例的国画草图。更多的时候是过不尽的山，流不完的河，枯枯荣荣黄绿不一的丛林草棵和流逝变幻忽聚忽散的舒卷长云。移动的云影遮映着明亮的山谷之中。

那是座新修复的古城池，城楼巍峨位于平坝一方山麓之侧，金顶重檐朱柱林列。城外沃野百里阡陌纵横，有村落有畜群，树林簇簇炊烟袅袅。农人拖拉机蠕行道中田埂。空气纯净蓝天无垠，远处群山环抱白雪皑皑，山脚入湖水波浩渺闪金烁银，数座宝塔遥遥矗立日光雪光湖光交相辉映塔身清澈剔透。

城中两条大街各由东西南北交叉直贯全城通至四方城门。街旁清一色油漆一新的仿古式样商店茶庄酒馆小吃店杂货铺，堆着一街的大理石器皿烟缸笔筒镇尺花盆蒜臼指环桌面，到处青白斑斓水浸墨染，可见云雾可见山水。

四个人流连于店铺之间连买带偷嘻嘻哈哈周身鼓鼓囊囊怀抱手携满载而去。

两个男人宿醉未醒，又在酒铺狂饮米酒，直喝得由红变白，双眼水汪汪，举步维艰，笑声不绝。

那是个位于平坝与崇山峻岭交界处的繁荣小镇。小镇是国家疆土的尽头，镇外千山万水是邻国的疆域。那是个有很多麻烦不安定的国家，政府军正在进攻共产党游击队和叛乱的少数民族分裂主义分子，暮色中的群山间回荡着重炮隆隆的轰击声。小镇在暮色中却是人群熙攘，形形色色的不同民族装束的男女穿着拖鞋挤来挤去，五颜六色的服装摊摆列街头，每个人都在向其他人兜售第三国生产的服装电子表假首饰香烟和画片，买主和卖主中都有相当数量的外国姑娘和男人，从相貌服饰和语言上这些邻国人和我国人无法区别，都具有马来人种和蒙古人种的混合特点，都穿着筒裙都会说汉语普通活。毗邻服装街的另一条街上出售熟肉卤蛋水果咖啡和五花八门的饮料以及种种煎烹烤煮之物。接着就是一条冷冷清清的街，这条街上沿街摆着一尊尊乌木雕刻的佛像一架架奇特的兽角和一堆堆带鞘的匕首和式样各异的长刀。

那天晚上，一个老太太卖出了一把鞘柄包着白铁皮镶着七彩玻璃、路灯下看上去很华丽的长刀。

那天晚上，小镇唯一的一座大楼顶层在办着一场喧嚣的一直闹到半夜的舞会，红绿变幻的灯光从楼顶泻下笼罩着整个小镇光怪陆离。有两个外乡男人在路边饮食摊上喝米酒喝吐了，吐得捶胸顿足；之后，他们滴酒未沾，喝了无数杯冰镇鲜柠檬，空腹走了拎着一把华丽的长刀。

那天夜里，在镇上的一家小客店里有过一场互相争执的谈话。先是一个男人拼命解释，说他从一开始就是开玩笑没太认真，别人也不必太认真，他从没想过真的要把这事付诸实施；他说过的话从来都有一多半是信口雌黄，谁要跟他认真谁就傻子，然后他就嘿嘿地笑。一个女人说她不爱开玩笑，不管别人开不开玩笑反正她当真，傻就傻。她嘲笑这个男人甚至玩笑也只有喝了酒后才有胆量开，这样一旦酒劲过去就可以不认账，她说她认识他这么长时间只发现他有酒后开开玩笑的本事。那个男人一点不生气不抬杠只是笑着说，你才知道我是这种人，我还以为你早知道了，我要没这点机灵我还活不了这么大呢。这男人掉脸对在场的另两个男人说，你们爱说什么说什么，你们要是跟这娘们儿哄你们就哄，反正我是退出这游戏了。我现在已经不爱玩了，我们这种老百姓既没什么荣誉也没什么自尊，涎着脸回去也没什么不好意思的，犯不上爱谁谁吧。一个眉眼跟他有几分肖似的男人说他也无所谓，玩他无所谓不玩他也无所谓。女人问另一个坐在床边抽出长刀用手指试着刀刃锋利程度的男人，你怎么说，你是主角你要打算玩下去，那他们不玩也得玩，只要局面一形成不管他们跑到哪儿，事态总会追着他们发展。我也觉得这游戏有点没劲了，执刀的男人说，太简单太人为，实际上全部游戏在我死后就结束了，剩下得指望别人参加进来你们才能推波助澜地玩下去，这还得你们有兴趣自觉；但凡谁悄悄退出了，很可能整个游戏就搁浅了。你们随时可以退出我怎么办，我一下去可就上不来了。我保证我不会退出，女人说，而且只要我不退出谁想退也退不出，女人看了那两个男人一眼。我不相信任何人的保证，拿刀的男人挥起刀劈砍了两下说，我从不拿保证当抵押；依我说游戏可以玩但玩法要变动，所有人都参加进来。拿刀男人兴奋地站起来，我仔细想过了要约束每个人都认真兢兢业业地玩，必须彻底修改游戏，应该搞成一连串的凶杀，咱们几个互相追杀。各显神通，最后幸存的也就是最聪明的荣登凶手宝座，这才轰动，这才有趣，这样游戏也才真正成为游戏。事先决定谁生谁死我总觉得有舞弊的味道也不公平，既然玩的就是心跳也不能光让我一人心跳。

拿刀人站在灯下笑吟吟地看着三个坐在床边的人，钢灰色的刀在灯下锋刃闪着寒光。

“我们不能都死。”沉默片刻，女人说，“还要留下活口去张扬，凶手只会缄口不言。况且死多了你也会同别人混为一谈。”

“我为什么就不可能是那最后一个剩下来的？”拿刀人举刀至鼻前看着女人说，“我觉得也没必要设专门的宣传员，群众的创造力是无穷的。我们要做的是齐心协力把这种创造力吸引到我们身上。”

“我退出。”一个男人声明，“我甘拜下风。”

“那咱们就一起退出。”拿刀人收刀入鞘，“要么就按我说的玩。”

之后，据说那四个人说说笑笑踏上了归程，也调侃也自嘲但无人再提游戏之事。连关于此事的玩笑也不再开。一路晓行夜宿同行同止，只是所有人滴酒不沾。一路上那些山林野店都备有极清醇的米酒，时而有人笑着提出饮酒的建议，其他人只是笑没人响应。山路颠簸，栉风沐雨，四个人的眼圈黑了皮肉松弛了山路之疲显于脸上，但每到夜间宿下却神采奕奕通宵打牌，你朝我笑我冲你乐，谁也不去一边就寝。

一天晚上，他们为一点小事发生了一点小小的争执。他们中的一个人在登记住宿时用了方言的名字。其他人说现在已无必要用假名，叫他改过来。此人说已经写了再改怕要引起店主怀疑，姑且留之。其他人说还是改了好，店主不会注意的。那人说既然店主不会注意何苦去改，反正无所谓。那三人笑着坚持说还是改过来。如果那人嫌麻烦，他们可以去替他改。那人笑着坚持说不必麻烦，他不改也不想要别人去改，他看不出用方言的名字有何妨。

那天夜里下了一夜雨，山林飒飒，雨声淅沥。半夜雨势转猛，电闪雷鸣，可以听到四壁群山石崩崖塌洪水瀑流的阵阵巨大声响。清晨雨停，群山间升起缭绕弥漫的白雾，滚滚如烟遮山没峰。河水在远处目不可及处咆哮奔流，山路上落满断枝残叶，汽车驶过轧轧作响，路旁密密匝匝的林叶中因有大树被风雨摧倒露出一片片可见天日的空隙又被浓雾滚来一概吞没。

山路上的汽车一辆辆开着大灯小心翼翼地行驶，像一双双瞪大的黄蒙蒙的眼睛依次而过。

那天上午，在靠近保山的山间公路发生了一场车祸，一辆载货卡车和一辆长途汽车在转弯处迎头相撞。所幸两车速度不高未翻到崖下，也未造成严重伤亡，只是两车车头损坏，长途车司机受了轻伤，但相撞的两车横亘，道路堵塞了交通达四小时。待交通监理人员从保山赶来勘查了现场判定了肇事责任，这才开来一辆吊车将损坏的两车吊至路旁恢复了公路畅通。这期间有数百辆各型客货车堵在山间公路上连绵十余公里，汽车喇叭此伏彼起响成一片，车上的人纷纷下来站在公路上互相聊天到处走动。雾里人车绰约彼此不见面目只闻脚步杂沓人语嘈乱，开关车门声砰砰不绝于耳，路边林中有攀枝折叶声和撒尿的哗哗声。很多人为了大小便或是出于无聊走入林中甚至穿过林子来到陡峭的崖边向下张望。山谷里流过的河水声如疾鼓，透过浓烟般的白雾似乎近在咫尺脚下，其实深达百丈。有个蹲在崖畔草丛中小解的少女仿佛听到了附近崖边有人短促地喊了一声便无声无息了。她站起来向那边张望，大雾弥漫之中不见人影，只听到一阵远去的窸窣声，有不止一个人拨枝踏草而去。接着，她听到公路上的汽车一辆接一辆地发动引擎，公路畅通了，人们在雾里互相呼喊纷纷跑出林子寻找各自的车辆。她也飞快地穿出林子跑上公路上了她搭的那辆卡车，随着前面的车辆颠簸驶远。

雾散了，天晴了，连绵无尽的苍山于峻峭处顿然而止，驶出隘口，眼前豁然开朗。太阳悬挂在千里平原之上，强烈的光芒照耀着田野村镇工厂河川。山谷里咆哮奔腾的河水此时驯服地缓缓流过平原注入一个巨大的湖泊。汽车在平原的公路上奔驰，湖水在遥远处点点闪烁忽长忽圆忽平忽仄。湖水上空堆积着如雪如絮的漫天长云。那云犹如被一只无形的巨手揉捏塑成一尊尊一组组栩栩如生的万物形态：时而群狮抖鬃仰首，时而万马疾蹄奔踏，时而雪山壁立千仞，时而钟乳笋柱罗列如廊。当汽车越来越靠近湖泊，那云也就越来越庞大似教堂穹顶般地盖了上来，万物腾挪变幻像是造物主要在刹那间让人阅尽世间景象。雪山崩塌，石笋倾倒，虎象狮豹没入烟尘，云层翻卷喷涌堆雪凿玉，形成一颗巨大的人头，这人头相貌雄壮翻着眼白仰于空中。车随湖形绕驶，人头随车驰行环顾，忽喜忽悲忽怒忽叹，俄而正脸遥望车内，俄而侧目远眺天外，湖尽车远人头兀自恋恋不舍悬天不去。

车中三人，两男一女脸白如纸。

二十三

那座灯火辉煌的酒家一点点黯灭了。白色计程车从街角拐出来，驶过树影斑驳的马路。人们从酒家悬垂着大红灯笼的牌坊式门里涌出像是无数条小鱼连水被从一条大鱼大张的嘴中吐出。月光皎洁，街上人群熙攘，马路与潺潺流动飘着一团团浮萍的小河并行，月光下房前屋后的芭蕉铁树扇叶摇曳，公园连绵的矮墙像一道凝固的波浪滚向黑夜之中。

汽车拐出林荫道，驶入一条条楼厦的峡谷间，两边的商店橱窗明晃晃地像一条镜廊；人群流过络绎不绝如同五彩缤纷的鱼游动在水族馆的玻璃环厅内。

明晃晃的街道远去一条又展现一条，每一个街口都放射状地伸出去无数条明晃晃的街道。黑压压的人群从四面八方走来又向四面八方散去。商店树木一排排一行行若明若暗。从驶过的一条条街的另一端的街口，我看到了曾经路过的一间间酒家商店的招牌霓虹灯，看到了向后退去的高架马路和马路起点联结的车站广场上的人群和棕榈树。

楼群厦林一片片梯次矮下来，旧下来，散落开来；街道巷子一条条黯下来静下来空空荡荡。

计程车在一条昏暗僻静的街上停下来，路旁有一座灰白色的宾馆大楼。我下了计程车拎着皮箱站在路边看着这幢灰白色的建筑，这就是当年我们在此住了十三天的那家宾馆。在我印象里它很华丽很高大在周围的建筑中鹤立鸡群，但再次看到它我发现它并不高很简陋，名为宾馆实际是家低规格的招待所，尽管这条街上几乎没有新盖的大厦，但在清一色的老式楼房中它也并不醒目。想来当年这也是没什么钱的人住的地方。

旅馆内部也处处显得破败简易，没有电梯，需要沿着高低不平的水泥楼梯一层层爬上去。一路上我遇到的服务员都面带菜色穿着腌臜的白上衣，房客也大都是穿着过时的蓝灰制服理着分头拎着黑人造革包面容黧黑的中年男人和穿着化纤西服打着艳俗领带装腔作势的小伙子以及浓施粉黛戴着亮闪闪的假首饰搔首弄姿的轻薄女郎。

我住的房间就是我当年住过的那间，位于八层楼角。房间很大很旧，一应设施电视电话卫生间俱全但都是三流货。两面墙上斜对开着窗户没有纱窗没有窗帘框上焊着波纹形护栏，风不受阻碍地在房间里穿流。卫生间的马桶是坏的，既不能抽水冲洗也没有垫圈板，没有手纸没有浴巾，马桶底浴盆内白瓷釉上结着一圈圈斑斑黄锈。可以想见曾经存于其中的浊水是怎么一点点干涸的。所有水龙头都流不出水，洗脸池上方的镜子已经破裂了，人照上去歪脸斜嘴如同丑怪。

夜已经很深了，我相当疲惫，便不洗不脱倒在弹簧松弛的床上昏昏睡去。风不停地从我脸上吹过，带来股股凉意，敞开的两面窗户外，夜空繁星点点璀璨琳琅如玻璃盆倒悬。室内关了灯仍被星光透照幽明家具什物影影绰绰，我就像在野外露宿，虽眠犹醒。

房间里充满了嘈切细密的声响，有树叶窸窣虫鸣蛩吟，有马路上隆隆驶过的载重货车空旷回响，有远远的脚步声和低低的人语。穿堂而过的风带来窗外充满着草木腥味和柏油路面汽车废气的刺鼻味的潮凉夜气，这之中混杂着一股淡淡人工炼制的香气很特出。飘逸含糊的人语中依稀出现几个熟悉嗓音余韵萦回不去。这一切纷杂混合的声响和交织互渗的气味中，我嗅出了一个男人熟悉的体味儿，感到一个消逝的身体遗留在这个房间里的残存热量，这热量断续勾勒出的人体虚形隐约可辨。我看到这个人形在屋里走动喝水吸烟，当他在沙发上坐下又站起来离去时，沙发革面出现一处浅浅的凹陷……

第十三天

我好像刚刚入睡就响起了电话，铃声如一个手指轻轻叩门“嗒嗒嗒”有节奏地响一阵歇一阵。恍惚中我还在想一定是找错了的电话，此刻一个我认识的人也不会知道我睡在这间房里。我这么想着还是拿起了电话，电话深处传来一个女人的声音，她在急切地“喂喂”叫：

“听出我是谁了吗？”

我似乎说了句什么，又似乎缄默不语。

“你别不说话，我知道是你。”女声说，声音变得哀怨，“我就在你下面的街拐角，你能下来一趟吗？”

“还有什么可说的？”我说，像是同一个老熟人对话。“我要休息，我很困，我刚上床。”

“你要走。”女声说，“我站在这儿就能看见你要的车停在旅馆门口。”

“那好，我下去。”我说，“你在什么地方？”

“街拐角。”女声说，“你一下来就能看见我，我也能看见你。”

我放下电话从床上起来，迷迷糊糊地去卫生间洗脸。卫生间的水龙头流出了水汩汩地，拧紧龙头仍有水滴出来。我洗了洗脸冲了马桶出了房间。

外面天已大亮，街上有车行驶，道边有人走动。街道建筑比我昨晚到时显得还要陈旧灰暗，行人穿的衣衫也都是早都不时兴的式样非黑即白，个别鲜艳的也都是廉价的舶来的尼龙织物，牛仔裤裤腿肥大随着行走扫着地面。旅馆门前停着一辆溅满泥点的红色计程车。这时，我看到许逊、汪若海和乔乔从街对面的一间烟酒店里走出来，说说笑笑手里各拿着一盒新买的纸烟，拆开包抽出烟点着，两个男人都穿着一样的条纹衬衫和肥大的蓝色水兵裤。一辆圆顶的绿白相间的公共汽车驶过挡住他们，公共汽车在街角拐弯后他们都抬着头往这边看，视线越过我指向旅馆门口。一群穿条纹衬衫的人吵吵嚷嚷地从旅馆里出来，高晋、高洋、夏红和我都拎着一只皮箱走到红色计程车前把皮箱放下，我从条纹衬衫胸前口袋掏出一包烟分给大家抽自己也点上一根。

“回去见了。”我说，“你们打算什么时候回去？”

“可能很快，也可能就不回去了，”高洋笑着说，“谁知道。回去我们会给你打电话的。”

“你能混。”我笑说，“这点我不如你，我就等着看你混出个好模样。”

“卖药也不错。”高晋说，“以后是不是我们找你买药全部可以不花钱？”

“没问题，你找我买药我还倒找你钱。”

“噢，冯小刚也来送行了。”高洋让开身扭头说。

一个瘦小孱弱同样穿着条纹衬衫的男人满脸是笑地挤进人圈和我握了握手说：“干吗急着走，大家一起多玩几天多好。”他的脸在晴天下显得很生动。

“得走了，再待着也没劲了。”我笑着说，“以后有机会再见吧，肯定有机会。”

“高洋他们都有你的地址吧。”

“有，你找着他们就找着我了。”

和冯小刚同来小一号的李江云站在人圈外朝我微笑，那时我们管她叫刘炎。我还特意从人丛中伸出手和她握了握，笑着说：“认识你是我此行一大收获，如果以后你和冯小刚掰了，请第一个通知我。”

她只是微笑，没说什么。在她身后，从街角慢慢走过来一个姑娘，圆圆扁平的脸上十分光洁粉润，没有一点瑕疵，手扶着一只挎在肩上的银灰色合成革女包。那是年轻的百姗。她的出现使所有在场的人都微笑不语看着我们。她勉强地笑咧着嘴，那笑比哭还难看，渐渐走到我面前。

“干吗呀干吗呀？”我厌烦地看着她冲她说，“要哭就痛快掉泪哭，这算是什么嘴脸？”

“别别，别这样。”高洋拍拍我。

“不是，我怎么啦？她打三天前就天天把这副脸冲着我。我招你惹你了？”我伸着脖子歪头冲她说，“我还不能回家了？我电话地址都留给你了，你大活人找我呀。我又不是去台湾这辈子咱们望眼欲穿。我还是在咱神州里一找一个准。”

“得得，你别说了，你还非要再给人说哭了怎么着？”高晋说，

“完了你再哭，泪眼对泪眼两人哭成一堆儿，让我们在旁边心里脸上都不是滋味。”

众人轰然大笑。我红着脸说，“谁呀？谁哭了？”

“你算了吧，你那点起子我们不知道？”高晋笑着，对百姗，“他不是给你留地址了吗，留地址就行了，找他去他没跑，他没地儿可去。”

“其实他心里有你。”高洋也说，“别看他装得挺混蛋的样儿，我们心里清楚：他这两天夜里没少趴枕头上哭，早上起来眼睛跟桃儿似的，人是重感情的人。”

“你他妈别胡扯。”我搡高洋。

大家笑，百姗也笑，含情望我，我腻得把脸扭向一边：“我说你们有完没完？没完你们在这儿说，我走我的。”

“慢点，”高晋从挎包拿出一架照相机，“我说咱们大伙最后再合个影。”

“不照。”我甩手对高晋说，“你丫什么毛病，挺一般的人还挺爱照相。属猴的，哪儿都要来一泡留点臊味。”

“照一张照一张。”高晋摆弄着相机退开几步之远，“今儿人都在，以后没机会凑这么齐了——把许逊他们喊过来，他们在那儿说什么呢，老不过来。”

夏红尖着嗓子冲街对过的乔乔他们喊，招手。乔乔闻声拉拉汪若海和许逊，三个人一行过了马路。

“你怎么还不走？”许逊笑着冲我说，“我都烦你了。”

“我也觉得你们特缠人。”我笑，被高洋拉着站成一排，百姗被许逊推到我身边按住。

大家对着照相机镜头并肩站着，七嘴八舌地催促高晋：“快点，我们可坚持不了多一会儿。”

“马上就好。”高晋转动镜头调着焦距调度着大家，“笑。”

大家一齐咧嘴笑，高晋放下相机对百姗说：“凌瑜，实在抱歉，你得重笑。”

那时，我们管百姗叫凌瑜。

就在我们都笑得尴尬后，高晋按动了快门。

大家散开，我挨个和大家握手，钻进了计程车。百姗在大家的怂恿下也欲进车，被我拒绝了：“都别去送，一里一外的回首招手我受不了。”

她隔着车窗玻璃凝视着我。

计程车发动了，驶出人圈，颠簸下了马路牙子沿着大街驶远。旅馆门前站着的人打着呵欠抽着烟互相说着话商量去哪儿。百姗离开众人，独自向街的另一头走去，李江云在人丛中目送着她，其他人置若罔闻。

第十二天

烈日下的街头车水马龙，到处停着支着凉篷的白色冰糕车。行人川流地走在街两旁楼底层的便道上。我从街拐角的杂货店的公用电话处离开，穿过马路，走入街对面石柱后面的楼下便道里。那儿停着辆冰糕车，我的朋友们正围着那辆车买蛋卷冰激凌。乔乔举着一支撒有巧克力碎末的蛋卷冰激凌递给我，冰激凌因融化而软绵绵，吃在嘴里冰凉可口。我们一人举着一支吃，默默不语，沿着一根根石柱向前面阳光刺眼的街口走去。瘦小孱弱的冯小刚边吃边走跟在我身后。

我们走在石块铺路的弄堂里，排成一行贴着一侧有阴影的墙壁走，遇到敞开的窗户便要低头钻过去或绕开几步。弄堂里的人家都大开着门，门上关着铁棍栅栏或竹杠栅栏。门里昏暗的堂屋可以看见极干瘪穿着汗衫的老头儿和肥胖穿着睡衣的家庭妇女以及黄瘦眼睛又大又黑的儿童。有的人家在饮茶，有的人家在洗衣，弄堂上空竹竿上穿晒的衣裤层层叠叠五颜六色滴着水，飘动着，收录机里播出的戏曲音乐此起彼落。

巷子纵横交错，狭窄弯曲，时而可见某条巷口外面人来车往熙熙攘攘。

餐馆门上盖着骑楼像个车库入口，门上悬挂着沉重的金字黑地木匾，上书“观天居”。半阴半明的天井中上百张绿漆斑驳的铁桌铁椅虚席以待。

我的朋友们和我坐在天井院子中的一张铁餐桌旁，咫尺之外是那个门窗一字敞开，摆着红木桌椅，山水画悬于墙，盆花绿草茂盛艳丽，雕梁画栋飞檐重重的嵯峨楼阁。我们的话语笑声和杯盘叮当声在空无一人的天井中回响重复，像是在山谷中每句话都产生应和。

“明天这会儿我就到家了到家了……你们在哪儿在哪儿明天？”

“为什么不叫凌瑜来不叫凌瑜来为什么？”

“烦她烦她叫她来干吗和她待在一起已经没劲不如看乔乔看夏红看刘炎可望不可即可即不可看。”

“刘炎答应来答应来迟迟不来涮爷们儿装丫挺冯兄应该抽丫挺。”

“谁抽谁很难说冯兄不会螳螂拳螳螂拳。”

“你回北京后帮我看一下避孕套避孕套有多少收多少。不是卖气球卖气球有个肉孜人要肉孜没这个政府不避孕人民想避孕论个卖一个五肉币五肉币无本万利无本万利那个肉孜人他爸是肉孜的总兵。”

“没问题估计没问题咱们节约呗我标上援肉物质发到肉孜江边又挣钱又尽国际主义义务多合适你上那儿接去和你的肉孜顾主顾主每个我提一肉孜币一币。”

“没问题估计没问题一肉币很客气客气多提点也可以价码我去谈五肉币是开价侃侃还能高上去谁让咱有呢跟肉孜表兄弟咱们别客气客气铁瓷归铁瓷该宰也得宰赶明儿你先当当肉孜的万元户万元户。”

“现金我不要我一衣带水当着肉孜的万元户管什么用你叫肉孜哥们儿买成肉孜鱼维尼纶西服倒过江咱们以物易物物物物。”

“全给你没关系你看上肉孜什么你随便挑我们白忙一个子儿不要全让你合适你先胖起来赶明儿允许我们蹭饭就成就成。”

“别别，还是一起胖起来胖起来，咱们要干就真干别又说一通没事了。回去我就收套儿去，用过的可以吗？别别还是规矩点。头一回干外贸别砸了牌子，到时候人家不说张三李四王二麻子，说咱中国人不仗义，还休戚与共呢。”

“肉孜人仗义直筒子脾气真干说了就真干。我这边都联系好了不干是孙子。对对咱们挣了钱还得让人家夸咱们，咱不能当奸商。你凑齐十箱就给我拍电报我直飞肉孜。”

“该咱们胖胖了别人原地不动怎么胖的？我觉得这事可以干，挣了钱咱捐残疾人一笔不就完了。你去肉孜悬不悬？你要折肉孜可没法，捞肉孜劳改队的伙食还不如咱们呢。”

“我有引渡的路子是铁了心干的，现在全看你了你敢不敢干。”

“敢干我是真敢干这么容易的事我早就想干了。咱们也就是老说老不干要干的话什么事也早干成了。”

“那就这么说定了我等你信儿。”

“说定了一有信儿我就告你。”

“跟真的似的这俩。你们有什么好事是不是也别拉下我们。我们干不了细致活儿是不是也可以安排点礼宾性的爵位。咱们是大国人少了让人看不起。”

“都有都有。有了钱咱们也呼朋引类。”

“咱们真得干点实事了。说实话我早想说我特怀念卓越。卓越这点上比咱们谁都强，没话谁都没话，上去就左右开弓抡耳光打完了再问挨打的是谁。说实话咱们缺的就是这股劲儿，战争年代的那股劲儿。”

“真得干点实事了我也同意。这会儿不折腾老了就得让人折腾你。说咱年轻的时候没钱还可以凭模样凭手腕，老了模样不济了身子骨弱了手腕也过时了再没钱上哪儿勾搭小姑娘去，谁还待见咱们？那咱哥儿个还不得急死？这乐给咱掐了老不痛快。”

“是这么回事。儿女指不上咱是儿女咱清楚，得有钱找不着乐咱买乐。”

“我特怀念卓越。他在咱早好了，咱什么都可以不干净等着吃肉,他一人就可以去抢去夺。你说他得那三等功管什么用？‘阿波丸’是捞起来了可里面没有‘四化’建设需要的金条，只有八千个日本骨灰罐。咱占什么便宜了？山下奉文有什么宝贝全是日本诳咱们帮他捞肥田粉编的瞎话儿，我们哥们儿命搭进去了生叫‘海鹰一号’给砸死了。”

“怎么回事？你不是说卓越是往厨房跑抢着吃第一屉揭锅的包子脑瓜撞舷梯上磕死的吗？”

“胡说，我们是跟台湾打海战用导弹射他们，那导弹不过关转一弯儿又飞回来了，大家全跑了，卓越还愣在甲板上想接导弹。丫傻 × 呀，那导弹多沉十好几吨，生让那铁疙瘩给骨架子全砸塌了。”

“不不不是那么回事，那是官方说法，实际是一三〇大炮打靶，卓越他们船拖靶就怕炮不准让帆缆厂现拧股长绳一万多米，那炮瞄的也是靶船，可炮弹飞出去却直奔拖船，弹着点差了一万多米，炸得弟兄们鬼哭狼嚎。你忘了那炮还是你打的，你打完站炮座上都傻了。”

“反正那会儿是‘四人帮’时期，随你们怎么瞎掰都成，对吧？”

“嘀嘀，这两瓶白酒咱都得干喽。那炮是我打的？不对吧？我打的是敌人，我是舰队命名的神炮手啊。是高洋打的我想起来了。当时他是前主炮瞄准手我是后主炮瞄准手，我打了靶船他打了拖船。孙子我跟你没完，你丫杀人得偿命。你早憋着害卓越了，就因为卓越一去你船就吃你罐头你怀恨在心。”

“不是高洋。高洋是坦克炮手没跟咱们在一起。炸是炸过越南村子，你说的是高晋。”

“我跟高晋没完，你早憋着害卓越因为卓越老吃你罐头你怀恨在心。”

“谁也没害卓越，卓越是抱包子心情迫切动作猛点磕舷梯上磕死的，他早有动脉瘤。”

“你早憋着害我，因为我老吃你罐头你怀恨在心。”

“走啦走啦，早没菜没酒了你们还在这儿干坐什么？”

“你说你是不是对我怀恨在心？因为我禁止你在你的罐头吃完前来吃我的罐头，因为你挨大连兵揍时我没帮你。你想想我能帮你吗？他们都练过跆拳道。我上去不也是陪着挨揍，许逊、汪若海都在旁边，你为什么不恨他们？他们手里还拿着消防斧嚷了一晚上要剁那帮大连兵不剁是孙子，幸亏我机灵没像你似的长脾气。”

“你没跟着起哄？头天晚上在舱里最无畏最激进的就是你。你领头发誓谁跑谁孙子，揣了把菜刀走在前边。我们跟着你向他们走去，走到跟前你倒笑了，巴结着和人家打招呼。你过去了，高晋一脸凶相被挡住揍了一顿，要不是卓越在大连兵那儿有面子，那天晚上饺子咱们吃的就是高晋的馅了，谁敢跟你共事。”

“你问他是头一回吗？上学那会儿在朝阳门城根儿和院外的胡同串子碴架也是头天晚上议好了戳那孙子，舞刀弄棒地杀出去叫人爸一把铁锹把三十多人全追了回来。谁跑在头一个？系了死扣的球鞋都能跑掉一只？”

“走吧走吧边走边说，咱们去动物园。听说这儿的动物园新来了一批杂技团退休的猴子会抽烟会嗑瓜子还会互相握手龇牙笑。”

“走就走，到哪儿我也不怕高洋呢！他小子溜哪儿去了，是不是怕我抽他。”

“你抽谁呀？你干吗呀干脆你抽我吧！我这儿半天没吭声你倒越说越来劲了我还不信了。”

“我说抽你了吗我说抽你了吗？我又没说你，你急什么？这人怎么这样？高洋虽说是你兄弟你也别这样为点小事就急，咱们多少年真没劲没劲没劲，以后不跟你开玩笑了。”

“别跟我开玩笑了。”

“这猴真俊，俊得跟你差不多；天再暗点我还真分不清你们谁是哥哥谁是弟弟。”

“你还没猴俊呢！把这猴抱你们家去你爹妈没准认它是亲生的。哟哟你弟笑了你弟抽烟姿势比你好看……挤什么挤什么你把脖子伸猴山底下去得了！两只汗手巴掌搭我肩上干吗？这要在熊山我得以为熊爬树出来了。你说干吗呀你说，瞧你那操行逼着我把你扔猴山里是不是？哥们儿这儿有一人跟咱们来劲打不打丫的。”

“算了算了，别把人打坏了还得咱掏钱再把他修好。”

“不是，你看他那样，他申请坏一回。走咱找一没人的地方，别伤着无辜群众。你会游泳吗？会咱到湖边上。哪儿不经打先声明，经打肉厚的地方都指给我。”

“怎么回事怎么回事谁要找没人的地方？”

“我看看这是谁，谁口气这么大？就你呀你也不像铁打的？上湖边上湖里都行。”

“对不起对不起，我们这同志有病喝多了点平时不这样；各位别跟他一般见识回去我们教育他。”

“别听他的，他们都是一伙的刚才都横着呢。”

猴山上吵着的一圈人哗啦一下散开了，我的朋友们往四下里跑，我跑在第一个，后面一群黑铁塔似的汉子分头追。我们穿草地跨小桥，踩过如锦的花坛，撞得竹林摇曳作响，沿着园中甬路跑出公园大门，消逝在熙熙攘攘的街头。

花坛七零八落残红点点谢于泥中，竹林脚印杂沓纷乱，街上车如织梭行人川流，个个行色匆匆无暇旁顾。夕阳猩红，金色的光晕笼罩着喧嚣的街市。

第十天

百姗穿行在紫藤穹覆凌霄遍悬的白木架花廊里，透过枝枝蔓蔓的缝隙她的身影时隐时现，银灰色的合成革女挎包随着人体胯部的扭动而晃摆。午后的阳光洒在廊里光滑的水磨石地上斑驳凌乱，廊外花树繁茂，蝉在垂榕的浓荫内鸣笛般地长叫，四外无人。花廊长且迂回。一座座小巧的花厅、凉亭、敞轩和竹斋，大厅套小厅环环相连或藏秀或豁朗，小楼叠重阁，错落有致，有垂帘有坐栏，锦绣质朴中西合璧。有人烹鱼灼鲜，有人嚼腥啖膻，杯觥交错，笑脸隐隐。

长廊顺山势下跌，径入一大片碧绿清澈的湖中，止于一玉石栏杆朱檐临水的舫屋处。我坐在临窗桌旁面前一只茶壶一副干净的碗筷碟匙。我在抽烟，烟雾袅袅如蛇游探缠绕吐信倏地扑散。百姗在我身旁坐下彼此无语，服务员走过来又送上一副餐具。百姗打开菜谱点菜，这时我说："不要野生的。"百姗看我一眼，指了菜谱上的几处给服务员看，然后合上菜谱交给服务员默默地盯着我。

"高洋没来？"

"没来，我在这儿坐半天了，他一直没露头。"

"可我已经跟我姑父说了，四零换七千，他叫我们下午三点半到他家去，他等着。"

"那你就三点半到他家告诉他不换了，四零太高。"

服务员送上一盘堆砌极为精致绚丽的冷盘，我一筷子夹走了萝卜刻的孔雀头喀喀咬下来嚼着，冷盆中的盎然生气顿时殆尽无遗。

"我怎么跟我的姑父说？四零并不高。我说是我换他才给四零，一般起码四二四三。"

"这里的人就你认真，认真你就坐蜡吧。"

"可是他跟我说得好好的死说活说，我本来不爱管这些事，因为是你的朋友我才答应。他到底有没有一个朋友要换港币？"

“可能有也可能没有，也有可能只是说说，朋友的朋友的事。他那么一说，你那么一听，谁还叫你真去办？”

百姗低头用筷子捣着碟里的肉片。

“他跟我说时显得还挺急，我想能让你们赚点钱也好，天天四处乱吃包着房间打着‘的’，真不知道这日子你们是怎么挨过来的？坐着吹——你当时不也是极力撺掇说可以干？”

“我永远是极力撺掇什么事我都说可以干，你信我的还有完？该不该干你自己还不知道？”

百姗瞟我一眼，悻悻地抬头看服务员远远送来的一盘蹄膀烧芥蓝菜名“野猪林”。

“以后你甭信这帮人的。”我吃那猪蹄，“记住，说什么你都听着都答应着，完了就完了千万别当真，要不你还得挨涮。”

“我是不是对你也不能当真？你说的话里有几句是真的？你是不是也属于说完就完了，完了就忘了？”

“差不多吧。十句话里有七八句是虚的。头一两句有时候是真的，有时候也保不齐。”

“任何人任何时间地点都这样吗？”

“任何人任何时间地点。”

“为什么？为什么要这样？是说真话硌牙还是说假话顺嘴？”

“顺嘴，也不是说真话硌牙是没真话可说。有什么可说的？真话又何必要说？另外也是习惯，说起来刹不住车，头两句真话完了假话就滔滔不绝，不说热闹了别扭。”

“是光你们这样还是所有人都这样？”

“这你得问所有人去，要不就找所有人谈谈，真话假话一谈就听出来了。”

“你听出我说的是真话还是假话来了吗？”

“什么？你跟我说什么了？”

“我过去跟你说过的那些话，我过去跟你说过不少话，你也对我说过不少话，就算你把自己说过的话都忘了，别人的话你也忘了？”

“你再说一遍，你跟我说过什么你再说一遍。”

“我不说，我认为你应该记住。”

“我忘了，你再说一遍。”

“我说我爱你在你说你爱我之后……”

服务员战战兢兢端上一盆鸡炖王八，告诉我们菜名叫“英雄会”。

“我说的是真话。”百姗看着我，“我是当真的。”

“假话。”我干笑，“一听就是假话。”

“也可能你是假话，但我不是。”

“都是假的。”我茫然地盯着浸在汤里一动不动的鸡和王八，“别别，别说这个，我听着肉麻。”

“可你当时热泪盈眶，你敢说你没有？”

“那我现在加倍惭愧，我真那样过？”

“我发誓鼻涕一把眼泪一把全蹭在我脸上，那嘎巴我打了三遍香皂才搓下去，真该给你留着。”

“别跟我认真，我这眼泪说来就来，经常哭半天还不知道哭谁呢。”

“你当时是真的这我知道，就像我是真的一样。”

“不不，我真不是真的，你可别这么说。你不是我的意中人。我喜欢饱满的女孩子，这你清楚。对你，我充其量偶有好感，撇开那些语言上的修辞老老实实地说。”

“如果你一直就是这么认为的，那你当初就该老老实实地告诉我，你要是个负责的人。”

“咱们别把这件事庸俗化好不好？我们都不是小孩，都是能对自己负责的人。在一开始你就应该考虑到作为女人要冒的风险，我想你也作了承担风险的准备。你不傻你很聪明。再说，你凭什么要求我得是一个高尚的人一个有道德的人——我不是！我从不考虑是否会伤害别人，事后也从不内疚，别指望我良心发现！你和我接触就应该小心，谁也别想讹我，我只选择志愿者，一切都是自找，活该！换我也一样，我也不需要别人用良心对我。”

“我完了。”

“别跟我说这个，什么完了？谁完了？谁也没完。有几个完的？都活得好好的。我告诉你，我什么都不吃，只要你掉一滴泪我立马抬腿就走，眼泪打不动我。”

百姗仰着脸盯着我，像是在疾劲的风雨中努力看清对方的脸，眼圆睁，肌肤紧绷。

“别这么看我，我一点没觉着你目光逼人。”

“这不是你。”

“这是我。”我笑了，“我当你能憋出什么铿锵的话呢！就这个，这都让认字的男女说俗了。”

“这不是过去的你。”

“一回事，换个说法也俗。你哪儿知道我过去什么样？你才认识我几天？告诉你，我一直就这样，打小就这样，生下来就这样。要说过去你看上去我有什么不一样的地方，那也全是装的。这回你认清我了吧。”

百姗沮丧地垂下头。我招呼叫服务员上饭，端起“野猪林”的浓汁浇在雪白的米饭上大口扒着。湖上吹来的徐风穿帘而过，竹帘抖动，山水变形，簌簌作响。

平湖草茵，花红映水，鲜丽一岸，湖畔杨柳古榕垂须飘髯青枝拂起。百姗在纷扬的枝条间紧紧地抱住我哽咽泪流满面。

“我不求别的，只求能和你继续在一起。”

“不是你的问题，是我。这场谈话后我没法再跟你在一起，我觉得不安全。”

“我什么都不提了，真的，什么都不问你，你要有新人我就走开。”

“拿出点女性的尊严。”我解着百姗蛇一样缠绕的胳膊掰着她的手，她抵抗着忍疼不松。远远望去我们就像在柳枝间扭打。“你太没骨气了，你这话听着就像一个奴隶说的，这和新中国妇女的主人地位不符。你不想再让我瞧不起你吧？”

第九天

高晋带着小一号的李江云走在阳光晒烤的街上，李江云手搭凉棚挡着阳光，高晋边说边笑着探头看李江云的表情，手遮着的李江云的脸含着意味深长的笑。

一辆无轨电车遮住他们，无轨电车驶过，他们已转过脸来面朝马路这边走过来。

不断驶过的计程车在他们身前穿梭，他们的身体时隐时现，脸却不离视界地笑着左顾右盼彼此对视不停地翕动着各自的嘴。

灰白色的旅馆大楼在强烈的阳光下模糊一片十分刺眼。

电扇在旋转，在不同的方向停下来吹一会儿又转向另一个方向。

窗户大开，窗外有葱郁树冠伞脊和明亮的几乎透明的蓝天，强烈的光芒弥漫空间。

我和许逊、汪若海、高洋光着膀子围坐在电扇前的茶几上打着扑克，牌甩得啪啪响嘎嘎笑着烟蒂瓜子皮扔了一桌一地。乔乔和夏红在我们身后的床上死人一般无声无息地午睡，蚊帐打着结悬在空中，她们俩的裙子都掀到大腿以上露着汗津津的大腿。

我们打的是一种锻炼智慧和狡黠的玩法，每个人扣着打出手中的牌然后告诉所有人自己打出的牌的点数，别人要是不信可以翻开其中的一张牌，如果这张牌与声明的点数相符那翻牌的人就要收起这些牌如果不符那这些牌就要退给出牌的人。因为有两张“鬼”可以代替任何牌，便有了瞎报点数的可能。有一个重要的规则就是你不能老说真话出什么牌就说是什么牌，那叫赖皮；你必须真真假假声东击西。这种玩法的名称就叫“蒙人”。赢家就是那个欺骗战术使用的最得当最先出光手中牌的人。这种玩法在当年很热门，因为玩法简单近年来已被更复杂的玩法替代了。即便在当年这种玩法也没有真正在更大的范围流行，因为这种玩法的一个致命缺陷就是无法下注，真正的老牌棍对它是不屑一顾的。无法下注的欺骗是天真无邪的。

我们兴致勃勃天真无邪地虚张着声势一个个满头大汗。

“五个2，再加五个2。”

“三个8，加五个8。”

“拿回去，蒙谁呢，我手上就有两个8。”

我笑嘻嘻地把八张牌都收了回来，我手上的牌是四个人中最多的。”

“高晋去哪儿了？”我手握着牌问。

“有事，他今天有好事。”许逊叼着烟快乐地说。

“你昨晚没把刘炎弄翻？”高洋问我。

“没有。”我说，“我们聊了一晚上。”

“聊一晚上？干吗聊一晚上你不是耽误吗？”

“甭信他的，指不定拿什么聊呢。”

“真的真的。”我说，“她跟我聊了聊她的身世，我觉得她特惨。”

“她惨？你管她惨不惨呢。”朋友们大笑，“你可真帽。”

“我发她的时候告你没有，进门什么也甭说直接脱鞋上炕，要说炕上说，完事了说。这事就不能多说，谁没有点伤心史？说来说去说出正义感来你还怎么脱裤子？办的就是龌龊事就忌深沉，你还偏装出上帝的模样儿，谁好意思和上帝睡觉。”

“丫一贯装孙子装的特不俗，比咱们有情趣。”

“不是，我总觉得进门什么也不说，直接推倒放平忒生了点，总该说点什么，又不是太熟，制造点气氛循序而进，没承想说说就说岔了，把她说哭了。”

“让你拯救的是她肉体，没让你拯救她灵魂，你逗她忏悔干吗呀？”

“你丫是不是也哭了？听她哭诉把你眼泪也招下来了？”

“没有没有，我没哭。我就是特冷静地听她说，说的我有点心酸，挺同情她，还不至于哭。”

“得了吧，乔乔都看见了，说你们俩对坐在那儿哭，一对泪人似的。透着你心眼儿好慈悲怜悯，要不怎么叫你方善人？是不是，乔乔？”汪若海回身捅捅正睡得似醒非醒的乔乔。

乔乔睁开眼，乜我一眼，惺忪一笑，用手在双颊做了个流泪的手势，翻身又睡。

我脸通红。“不是你们要听刘炎说，你们要在场你们也得跟我一样。确实特惨，她一辈子就没顺过，就最后遇上个冯小刚。冯小刚对她还好点，他们之间也真有一点感情。他们俩特别不容易，她给我讲他们俩的故事我听着都特感动，冯小刚是真爱她。”

“哟哟，还真爱她，你是不是也爱上了她？”许逊扳我脸，“让我瞧瞧让我瞧瞧咱这筐中还出了圣人了。”

“别弄。”我拨拉开许逊的手，“我真的不忍也不想痛快几分钟让人家当坏人恨一辈子。”

“傻帽。”高洋笑着用牙咬着烟挤着话说，“她这一套嗑儿跟谁都说过，你问问乔乔，她也能跟你说出一套来比刘炎还精彩。什么特有追求啦，什么特重感情啦，打小憧憬幸福充满理想偏偏老是倒霉，社会也亏待她了，遇到的人也都是坏人了，害了她一生。所有傻 × 倒霉蛋什么也干不成的人都会说这个。你怎么不问问她干吗不跟冯小刚待着偷偷跑这屋里来干吗，谁绑她谁拖她来了？”

“她跟我说的那些话里肯定是有水分，这我当时也听出来了，有些事是她自找。但我觉得她整个的感情是痛苦的这不是装的。也许有些事她当时是乐于干的，但事后现在想起来特难受特后悔。我告诉你们，她打动我的让我觉得产生了责任感的不是别的，就是她说起后悔事时的痛哭流涕那简直不能自制。她要不后悔挺乐那我当然也不会客气，可她已经特后悔了；这时候我不是高尚起码也该有点人味儿退一步给人一个机会，别再雪上加霜落井下石，那也忒狰狞了。”

高洋、许逊、汪若海嘿嘿乐瞅着我，牌都扔到了茶几上。

“真的。”我挺直身诚恳地对他们说，“我觉得我这人够坏的，可这件事我做得挺仁义。虽然是干巴聊了一晚上什么也没沾上，但咱哥们儿你们讲话拯救了——说拯救有点过分，安慰了一个灵魂。这世上还是有好人的。”

我眉开眼笑按着胸口：“我特满足，比真练了她还满足。我发觉我这人品质还行，关键时刻抹布擦擦就能闪出光来，有点牺牲精神。”

高洋忍着笑，对我说：“你知道你安慰的那个灵魂，那个得到你给的机会重新做人的苦主儿现在在哪儿吗？”

“不知道。反正她说过她不会再见你们了。”我得意地说，“我已经告诉她了，你们全是坏人。”

“你先别乐。”高洋笑着说，“你出这门敲对面的门，你看看谁在里头，正在干吗？”

“谁在里头？”

“我不知道。”高洋笑着大挥着手，“你自己去看看就知道了。”

许逊和汪若海也瞅着我叵测地笑。

我笑着站起来，朋友们也笑着站起来，我笑着看着他们退向门口，手扶着扭把儿侧身拉开门，走廊里穿流的风猛地灌进来，吹落了茶几上轻飘飘的纸牌，吹得嗡嗡作响的电扇没了声音，吹动了床上睡着的乔乔和夏红的衣裙和鬓发。窗外树叶一阵响亮的窸窣——对面的门也被风一下吹开了，无声地在地板上滑行贴住墙壁。窗帘飘动，对面房间拉着墨绿色的乔其纱窗帘，室内昏暗墙角的落地扇在左右摇着头把风吹向隐在凸出的卫生间后面的床上，顺墙摆着的一对木扶把沙发上凌乱地扔着几件男人的内外衣裤和几件女人的内外衣裙，胸罩耷拉在木扶把上像一只下垂的手。窗帘飘动，床簧吱呀，人在呻吟，声息楚楚。有人在大笑开门关门，水龙头在滴水，水滚过喉咙呜咽噎塞……高晋赤裸着遮掩着从卫生间墙后探出头探出身子飞快地跑过来冲我们怪样一笑，咔嗒一声关上了褐红的门。嵌在墙间的风停了，走廊上静悄悄寂无声响。

我关上门笑着回过头，朋友们怪样叵测地笑着，瞅着我站在原地。

“我真傻。”我笑着说，“忒帽了。”

“你真傻。”朋友们笑着说，“忒年轻，你说你留着她干吗？”

“我留着她干吗干吗？”

“天与不取，反受其咎；当断不断，反受其乱。女人都是一路货。”

“一路货一路货。”

“你那个凌瑜也一样。”

“一样一样。”

“别以为她跟你特铁，我当着你面就能把她勾搭走。我们一直围而不打不是因为她骨头硬而是怕你心眼窄，不信把她叫来你看着。”

“我看着我看着。”我笑嘻嘻，“把她叫来吧。”

“你是不是真无所谓？你不是号称‘真爱’她？要是你这劲儿没过就算了，别我冲上去你再跟我急了。”

“难说，这你还真得小心。”

“无所谓无所谓，我又不是在私有制社会长大的。”

“好，那先说好不许急啊。”

“不许急不许急。”

我们笑嘻嘻地互相瞅着互相审视着赛着看谁最自然。高洋拿起电话，笑着瞅着我把指头插进号盘拨号；电话通了，高洋转过身去对话筒里说话：

“我找凌瑜……凌瑜吗，不不，我不是方言我是高洋，你好你好。”高洋回头朝我们眨下眼又转过去，“有事，我找你有件事。怎么，没事不能找你吗？能找，噢，这就对了，就是，咱们什么关系？你现在能出来吗？到我这儿，当然是到我这儿。”高洋回头看我一眼，“他呀？他出去了，不知道去哪儿了，有个女的打电话把他叫出去了。”

我们站在一边笑了，我笑的时间最长。

“管他在不在呢？咱们的事就咱俩办……当然重要，不重要我也不会找你。你能出来吗？是不是怕方言……不怕？对对，怕他干吗？不怕就对了……现在，现在就出来，好，那我等你。”

高洋放下电话，笑着对我们说：“一会儿就到。”

我们一起互相点烟，我擦火柴，连划几根才擦着，刚点了一支又灭了。许逊使劲吮着欲燃不燃的烟瞅着我：“别哆嗦，别哆嗦呀。”

“不是我抖，是地震。”我笑着重又擦着火柴。

“一会儿她来，你别露面。”高洋叼着烟说，“把你房间的钥匙给我，我带她到那屋去。”

我把系着住宿证的钥匙掏出来递给高洋，微笑着吸着烟。站到窗前往楼下看的许逊回头说：“她来了，进了楼啦。”

“谁也不能过去啊。”高洋手忙脚乱地抓起一件条格衬衫穿上，“你们只能听响。”他一笑，拉门出去。

片刻，走廊里传来高洋的声音：“够快的，我还当你得慎一会儿。”

“什么事呀，这么急？”百姗带笑的声音，“方言真和一个女的出去了？我不信。”

“我也不信，谁女的找他呀。”

脚步声从我们门前过去，停在不远处，接着隔壁的门一响，声音进了隔壁。门关上了“砰”的一声，走廊静了，隔壁房间传来隐隐约约的男人说话声和女人的笑声。

乔乔在床上醒来，躺在那儿睁着眼睛看我们。夏红仍在酣睡。树叶窸窣汽车轧驶，人声从街上传来，卫生间的水龙头在一滴一滴地滴着水，一朵白云从天边飘来在强烈的阳光中变得稀薄消融在蓝天里。

“咱们接着玩牌吧？”汪若海在沙发上坐下捡起扑克归整抽洗。

我和许逊坐下，汪若海麻利地发着牌。我们继续玩“骗人”。每回我掀对手的牌总能准确地掀出其中的谎张。

隔壁房间没了声音，尽管电扇风一股股吹来，我仍满头大汗，手湿得直粘牌。

乔乔在床上坐起来，冲着门口嫣然一笑。我们抬起头，穿着齐整的高晋走进门来，他后面跟着穿着齐整的小一号的李江云。许逊、汪若海和他们打招呼，我全神贯注地看着牌。小一号的李江云走过来看我的牌，脂香汗香热息浓郁。我抬头对许逊说：“出牌。”

“高洋呢？”高晋在一边坐下，拿起一支烟点上，扔了火柴，“他去哪儿了？”

“隔壁呢。”许逊笑着说。

“他在隔壁干吗？”高晋不解地问，“冯小刚来了？”

“没有。”许逊笑着看着我，“他在涮方言的锅子。”

“谁呀？怎么回事？”高晋警觉地望着我。

“方言把凌瑜发给他了，他们俩现在正在隔壁呢。”

“是吗？”高晋问我。

“是。”我笑着说，看着手中各种花色的扑克牌，“我把凌瑜发他了。”

“你们太坏了，真不是东西。”乔乔坐在床上说，“是不是刘炎？”

小一号的李江云冲乔乔莞尔一笑。

“打牌打牌。”我发现大家都看着我便说，“这有什么呀？物尽其用。女人嘛。”

众人笑。高晋问我：“你什么时候也想开了？”

“先胖不算胖，后胖压塌炕。你打你的，我打我的。”我粲然一笑，“我过去是有点傻，不过咱允许人犯傻是不是？今后聪明了就行了。”

“我去敲敲他们门。”高晋站起来，“也别太乱了，咱们还得保持纯真的情感。”

“你别，千万别去，你要去我跟你急。”我笑着问高晋，“谁跟谁纯真？我没跟人纯真过。”

隔壁马桶传来“哗啦”冲水声，男声女声又响起。窗户打开了，男人和女人的声音大了起来。

门开了，这声音又在走廊上响起，连笑带说。片刻，我们房间的门被推开，穿着齐整的高洋和穿着同样齐整的百姗出现在门口。

“你在呀。”百姗看见我笑着走上前，“高洋骗我说你出去了。”她满面春风脸色红润头发一丝不苟地梳得整整齐齐，背着她那个柔软的银灰色的合成革包。

“他说要找我套汇，帮人换点港币。赚点差价，我还当什么事呢，原来就为这个，急急地把我找来，还说有重要事。港币我倒能换来，问题是你说能干吗，值不值？能赚多少？我说我还得考虑没答应他。你说我帮他换吗？”

“值不值干不干你随便，那是你们俩的事我不管。我觉得倒没什么值不值的。”

“那你的意思是帮他换了？”

“换吧，什么大不了的事。”我笑，看看高洋。

“你在这屋知道我来了怎么不吭一声？”百姗瞧着我说，“你知不知道我来了？”

我含笑不语。

“你们搞什么鬼呢？”百姗看看周围人，“你们要换钱干吗？不让你来跟我说？”

“你快回去吧。”我说，“刚才你姑父往这儿打了个电话，说你们家什么亲戚刚从下边过来，要见你，晚上请饭，让你一定在五点前回去。”

“怎么回事到底？”百姗不走看着我，越发执拗。

“没事，真的没事，我送你下去。”我拉过一件条格衬衫穿在身上，推着百姗出门。

百姗拧着身子看其他人，其他人都在冲她笑。

“你们这帮人怎么都鬼鬼祟祟的？”走在楼梯上，百姗说，“我不喜欢你这帮朋友。”

“谁也没逼着你喜欢，不喜欢就不要见了嘛。”

“我不想给高洋换了。”

“换吧换吧，既然你答应人家你就给人换吧。”

“晚上你去哪儿？”在旅馆门口百姗问我。

“我能去哪儿？”我看着街上，叉着腰说，“我有什么地方可去？”

“那我吃完饭过来。”

“不不，你千万别过来，没准我们就要出去，千万别过来。”

“那咱们什么时候见？”

“再说吧，明天我给你打电话或者你给我打，再说吧。”

“这凌瑜你是怎么调教的？”我刚回到楼上房间里，高洋就迎着我笑着说，“任我花言巧语拳打脚踢生生岿然不动。你施了什么法冻住了她这么刀枪不入？没戏，我这是头一回没戏，撼不动，跟你一样说着说着说岔了，岔到北边去了。”

“干了就干了。”我笑，“何必欲盖弥彰。你也有戏。汪若海，下回你也可以冲一道。”

“我对沏你的茶根儿没兴趣。”汪若海说，“她这姿色的，我还犯不上为她使那么大劲着那么大急。”

“是比较一般，”我说，“一般的不能再一般了，兑了水还齁人。”我微笑，环视众人恶毒地笑。

天阴了下来，日光黯淡，乌云阴了天空，窗外的树伞猛烈地摇晃，狂风大作，吹得一片玻璃窗响，暑意顿消，黑压压的阴影自远而近铺地而来，远处的一片片街区都荫了。乔乔奋力关了窗户，顷刻间豆大的雨点噼噼啪啪打在窗上淌下道道水流，窗外的云天树街模糊了朦胧了，室内或站或坐的人变成一个个黑影静止不动。

“咱跟谁客气？咱拿谁当人？”

第八天

大雨哗哗地下，街树枝叶被打落一地，街道上浊水汇成河汹涌地沿着马路牙子流向下水道的铁栅格井口，四面流来的浊水带来的残枝落叶堵住了铁栅格，水流泻得慢了，积聚起来漫过马路牙子流进树坑花丘横过便道汩汩地白亮亮一片由此及远。街两侧楼房都关着窗户，窗户亮着灯，雾蒙蒙人影晃动像是一台台大型立体的皮影戏。

旅馆走廊里一条昏黑的仄长，我看到乔乔和汪若海、许逊先后从一个房间里出来，许逊出门后又撑着门探着身子对房间里笑着说：“快点去。都给你铺垫好了，记住进门什么也不用说，直接杀入纵深。”

许逊带上门笑着跟乔乔、汪若海走了，在楼梯拐角消逝。稍顷，那个房间的门再次打开，我走进走廊关上门向对面房间走了一步，举手在空中停了片刻落下去敲了敲门。门开了，一个模糊的女人的脸出现在门里，我讪笑着走进去，门在我身后关上了。

旅馆门口，乔乔、许逊、汪若海笑着冒雨蹚水钻进几步开外的一辆计程车敞开的后门，计程车关上车门一路溅着水花儿驶走。

大雨倾盆，一辆计程车溅着水花一路开来驶到旅馆门口停下，一个女人钻出车、一步迈进旅馆门廊，向亮着一盏盏灯的旅馆门厅楼梯走去。

旅馆走廊亮着一盏盏灯一条昏黄的仄长。百姗走进来，她走到许逊们刚离去的那个房间门口敲了敲门没有应声，她转过身来敲对面我刚进去的房间门也无应声。她又往前走敲其他门都无人应声。她依次拧把手推门，门都是锁的。一个男人从前面的一个房间出来向楼梯走去。百姗抬头急切地看了一眼又垂下眼也慢慢地向楼梯走去。

明亮华丽的宾馆大厅里雕着盘龙的金柱旁栽在青釉瓮里的宽叶兰草生机勃勃，到处是倾泻着耀眼光芒的水晶枝形灯和明晃晃一尘不染的镜子，衣冠楚楚的男女在厚厚的大红地毯上川流。乔乔、许逊、汪若海在二楼一排花花绿绿的电子游戏机快速地按着键钮用屏幕上的击发装置轰着不停出现一排排横移的靶子，游戏机此伏彼起地响着一阵阵模拟琴音。从他们站在的位置可以清晰地看到下面大厅一隅咖啡座上正和一帮衣着艳俗的男女华人眉飞色舞神吹的高洋，夏红一脸微笑地坐在他旁边。高洋吹着吸着烟喝着可乐不歇气地比画着手势迷人地笑，他拿出一样物件给那帮港客传看，不时用夹烟的手点着这个物件神情肃穆地说着什么。

“这颗宝石那可不是一般的宝石，大有来头。”

及至近前，可以看到港客们手里传看的是一颗大若瓜子的红色晶莹的多棱体。高洋介绍说：“既是宝石又是文物，这东西是百年来历史沧桑的见证，上面凝聚着中华民族耻辱的一页。当年它镶在珍妃的鞋上走遍了紫禁城偌大的宫殿群，进过朝房寝宫，踩过金銮殿前的汉白玉石阶，目睹了光绪皇上和珍妃的恩恩爱爱、老佛爷的威严、李莲英的势利嘴脸，亲历了百日维新的风风火火以及戊戌政变的风云变幻，后来伴着主人度过了那段漫长的鲜为人知的冷宫生活不知洒上了多少珍妃泪。八国联军进北京时，它跟着珍妃一起到了井边，一字不漏地听见珍妃骂慈禧；那什么脏词儿都上了，还被太监我爷爷踩了几脚那鞋印子民国时还在后来磨掉了。珍妃下井了它留下了。不瞒各位，把珍妃塞井里是我爷爷动的手。当时他跟小李子倍儿瓷，人给害了鞋扒了下来揣袖子里了，这是历史上的一个谜。当时珍妃是光着脚下井的；我爷爷干的好事。每回我学近代史学到这段我都面红耳跳，嫌我爷爷给我丢份儿。话说回来了，当时我爷爷要不留心眼儿，各位现在也见不着这宝物。按这理儿我爷爷也立了一功。”

“有功有功，人死了嘛，东西别糟践。”

“对对，我爷爷是穷人出身，最见不得暴殄天物，子孙后代吃什么？”

“听这话，是庚子年的事。你爷爷老点？”

“老。”高洋认真地说，“活了一百来岁也没赶上解放，就那么含冤去了。”

“听你刚才说，你爷爷是太监。据我所知……”

“这太监跟别人得有点不一样。我懂你的意思，这你们就不懂了，这你们就臭了，这就透出你们这些夷蛮之地的人对中原情况的无知了。太监也可以娶小，管不管用摆着好看。再说后来民国了，我爷爷被鹿钟麟的兵赶出来了。好在我爷爷这么些年没少抓挠皇上一时用不着的东西，衣食是不愁，置了房置了地娶了我奶奶意思意思，不为别的就为看上了我奶奶肚里有我爸。我奶奶当年也有名着呢，也是北京城的一枝花——八大胡同的花魁。相好的都是那王孙公子、富贾巨商。所以说咱们出身也不贱，根儿上说也是大户人家庶出。当时我奶奶刚被蔡锷的一个哥们儿涮了，伤透了心操他妈从良，什么也不要都成只要老实。我爷爷老实，每回去都坐那儿看看摸摸从不动真格的，两人恋爱上了。"

"敢情，这宝石让你得着了也够不易的。"

"不易。原来我们家好玩意儿多了，比你们有钱，夜壶都是玛瑙的，全让我爸抽大烟给抽没了。西方那吸毒的算什么呀，咱们中国比他们早多了，该轮到咱们给他们贩毒了。怎么着？你们到底要不要？别老摩挲着看个没完，光笑不说话都给摸小了。"

"你这石头既然是镶鞋上的，我琢磨着应该是一对，要是一对就好了，更有说服力。"

"谁说不是一对？盖因当时两太监一人抱一只，脚那只让那位爷扒去了。你要喜欢原装全须全尾儿的，我倒留着珍妃的那只鞋，不过这鞋可就金贵喽！历史人物的鞋比这宝石可值钱，就怕你们买不起。"

"拿出来看看，有鞋我们就要。嗬，还是栽绒面的。"

高洋从怀里掏出一只尖尖的小船似的老太太鞋。乔乔遥遥看到，回头对汪若海笑着说：

"他把你姥姥的小臭鞋都亮出来了，也不怕人知道珍主儿是42的脚。"

"我瞧瞧。"汪若海往楼下看去，笑着说，"丫真把人当傻 × 了。"

"高晋完了没有？"许逊踱过来说。"他怎么还不下来？要不乔乔你上去看看别让人给扣了。”

“我瞧瞧去。”乔乔离开游戏机向电梯走去。

“高洋也真行。”许逊看着楼下远处摇头晃脑嘴不歇着的高洋，笑着说，“真有那么多废话拴住这帮帽儿。”

那帮华人男女远远坐着哄地笑了。

乔乔来到顶层，高晋正拎着一只皮箱从一个房间出来，看到乔乔一怔，没言声从乔乔身边穿过去沿着楼梯下去了。乔乔继续向前走，穿过服务台从另一边楼梯下去。

高晋拎着皮箱穿过熙熙攘攘的大厅从自动门出去了。

站在二楼游戏机旁的许逊和汪若海也离开了。

坐在高洋一旁的夏红抬眼看到二楼上的许、汪二人不见了，便拿起一支烟抽起来。

“陈小姐也抽烟？”一个华人殷勤堆笑地问。

夏红含笑点点头，未语。

高洋看了眼夏红，把空可乐罐一蹾，说：“把宝贝还给我，我也看出你们没钱了，价都不敢开真给华人丢脸。回头我就把它卖给日本人，日本人知道东方文物的价值，看来想不让这国宝流到外人手里还不成了。”

乔乔快步穿大厅消逝在门外的黑夜中。

雨仍在瓢泼地下，空气中充满树叶花草泥土的潮腥。开着的窗户吹进来的风带着凉意，裸露的皮肤凉飕飕的起了一层鸡皮疙瘩。室内的烟气汗味被褥臊味都被风吹走了，室内清新静谧，亮着一圈昏黄的台灯光晕，窗外的雨声如万沙过筛。

小一号的李江云在啜泣，低着头泪眼注视着手里一个叠来折去一会儿变作仙鹤一会儿变作老鼠的素白手帕，脸上浮着一种微笑述说着，不时吸溜着噎塞的鼻子，鼻尖上挂着一滴屡抹屡垂的清涕。

“我的第一个男人是我的老师。当时我上小学五年级，他教我们音乐。他是个高大漂亮的年轻人，有一副洪亮动听极能打动人的好嗓子。他经常在教我们音乐课时边弹风琴边为我们唱优美的苏联抒情歌曲，边唱边扭过头来微笑着看着我们，那目光充满迷人的不可名状的吸引力，深深穿透了所有孩子的心，直到今天我仍能鲜明地回忆起他张着O形嘴、身体有节奏地晃着微笑着注视着我的情景。我很喜欢他，我们所有女孩子都喜欢他，他也喜欢我们。那时我是他的宠儿之一。每个老师都有几个宠儿。女老师宠爱男生而男老师则宠爱女生。他说我有一副好嗓子。我相信当时我可能是比其他孩子的嗓子要甜润一些，不管是与否反正这条理由足够使他在课外把我叫到他的宿舍去不致引起其他人的非议。那是个夏天，非常闷热的中午，我在他房间里，我忘了他是怎么诱惑的我。我想他没费什么事，因为我对他绝对崇拜绝对信任绝对服从绝对听其摆布，况且在我眼里他所做的一切都是美好的高尚的令人充满幻想和陶醉的。我愿意使我和他的关系同他和别人的关系比起来更亲近更带排他性，虽然我并不明白这意味着什么。他的脸很近很大连颊上的粉刺和张开的汗毛孔都看得很清楚，他在微笑喃喃低语和蔼可亲得近乎谄媚。与此同时我感到一只汗津津的手在我身上摸索，他微笑十足的和蔼，我疼痛；他父亲般地抚着我的脸，我剧烈疼痛；他着魔似的微笑汗水淋淋笑容扭曲了嘴角流出涎水眼中兴奋狂热的光芒像针一样地刺出来晃花了我的眼，他难以忍受地呻吟闭上眼，脸皱成一团像挨着雨点般的鞭打压抑着惊悸不可控制地低声喊叫起来，接着平静了，红晕回到他苍白的脸上。他慢慢睁开眼睛，眼中充满幸福快乐看着我微笑起来，从始至终除了一瞬间他总是微笑着。我感到脉搏在突突跳，我哭了，觉得自己受了委屈。他像一个好医生安慰他的病人一样为我拾掇侍弄帮我穿上衣服说着温情的话。我笑了，看到他快乐忍着泪笑了。他从始至终除了一瞬间总是微笑着。

“后来呢？后来你们怎么样了？”

“后来就像从前一样，他每周两次来给我们上课，坐在阳光和煦的教室边弹风琴边唱优美的苏联抒情歌曲，微笑着注视着我们，身体有节奏地晃动，嘴张成O形。我们随着他的琴声歌声背着手一齐放声齐唱：‘正当梨花开遍了田野……’‘让我们荡起双桨……’‘做完了一天的功课……’直到‘文化大革命’开始，他被从风琴旁扯走，刷了一身的糨糊，吐了一脸的唾沫，脖子上挂着铁丝拴的木牌蹒跚地和校长、教导主任等在操场上走成一队游街示众。后来他自杀了，从教学楼上跳了下来摔在挖防空洞的石灰池中，石灰烧烂了他那张漂亮的脸。后来，他被平反了。”

“你没有揭发他？”

“没有，其他女孩子揭发了他，我是他自己坦白出来的。当时我觉得他很可怜，况且我也早毕业上了中学，就没主动揭发他。”

“……”

“我的第二个男人是我的父亲。当时我上初中二年级，住校，只有每星期六回家。家中只有父亲母亲一个很小的弟弟，一个保姆，基本上是三个老人和一个儿童。家里很冷清，只有我回家才热闹些。我父亲那时已经很老了，我是他年过半百后才生的头一个孩子。我印象里父亲是个很慈祥的颇有风度的老者，脸上总挂着和蔼的微笑，无论对任何人说起话来总是低声细语。他对我非常好，从小每次出门游玩串门总是他领着我，妈妈抱着弟弟。他总是在看书在写字，书房里四壁都是满满的书。他懂很多国语言，所有来找他的人都对他毕恭毕敬。很小的时候他就教我背诵各国的名作诗篇，至今我仍能依稀想起那些外国名诗用外语朗诵时的铿锵音节，不过内容我全忘了。那时我们像现在的学生一样，也爱抄名人名言记在一个小本上宝贝似的保持着当做座右铭。因为我父亲懂多国外语的缘故，我的小本上的名人名言总是要超过其他同学。他们往往只能找到一些马恩列斯和苏联名人的话，相形之下逊色多了，也有限多了；而我每星期都能在小本上添上一二十条父亲告诉我的聪明睿智的各国格言。为此同学们很羡慕我，我也很自豪。在我眼里父亲几乎就是这些格言的化身，在任何一件小事上，譬如我和同学关系学校的活动甚至弟弟的淘气他都能说出很有哲理的话。我热爱他崇敬他如同他是我人生道路上的灯塔，我欣喜地无忧无虑地生活在他四射出的耀眼光芒中。那是个夏天，也是个夏天，我回到家里。那天夜已经很深了，母亲和弟弟都已经睡了，只有我和父亲在各自房里的灯下读书。我记得很清楚，那天晚上我看的是《牛虻》，我正为亚瑟和琼玛的命运激动万分时，父亲来了，微笑着和蔼可亲地来了。他站在我身后，开始抚摸我。起初这完全是父亲式的抚爱，我很舒服很惬意很温暖，但当他的手从我的头上落到肩膀上开始摸我的脖子我的下巴并继续往下滑时我感觉不对了。我已经有了经验，知道这种抚摸超过界限就意味着什么，但我不敢相信，我难以置信父亲对女儿会干出那种事，又是这样一个懂得天下人间万物之理的父亲。我不敢相信，就是当他手伸到了即便是父亲也不该伸到的地方我仍不敢相信。我只是毛骨悚然地缩成一团我吓坏了！当我试图拒绝时，父亲坚定有力地攥住我，眼睛直视着我的眼睛说道：‘我是你父亲！’这句话像他平时说的所有话一样充满哲理、充满昭示事物本质关系的铁的逻辑。‘我是你父亲，我有权力，连你都是我给的！’于是乎，在这掷地有声的话语下和灼灼有神的目光的注视中我屈服了。我垂下了眼，我无法和父亲威严的目光对峙。他以一种老年人的敏捷和盎然趣味占有了我，始终不失尊严和风度，尽管他有时显得力不从心和臃肿笨拙，但他以他的智慧解决了这一切，始终不失风度和尊严。”

“老畜生！”

“至此，每到星期六我回家，父亲总要到我房里来索取他给我的一切；我就像他的著作他的手稿任其涂抹任其随心所欲地修改着本来面目。直到‘文化大革命’开始，别人修改了他，给了他一切的人向他施行了权力。”

“他也平反了？”

“平反了。我想他要活着再给我抄格言会告诉我一些‘人要做自己的主人’之类，讲一讲大狗小狗之间的辩证关系。”

窗外的雨声小了，弱了，变得淅淅沥沥。马路上有车轧着水开过去，有人在马路上大声叫唤。地面升起一片氤氲的雾气，白蒙蒙的絮一般地阵阵飘过窗外的夜空。雨完全停了，只有房檐上还在滴着水，房顶上积聚的水从漏雨铁皮筒中流下去哗哗倾泻在路面上。月亮从云层里露出，若隐若现地穿行在夜空的云中泻出一道道清冷的光，照亮了浮云千姿百态的形状。

“第三个男人是我的同学，我们学校的红卫兵头头，后来是我们一起插队的生产建设兵团的连队头头。他是我第一个真正爱过的人。在学校时他就是全校的高才生体育尖子。‘文化大革命’时，他脱颖而出成了一派的领袖，叱咤风云、名噪一时，大辩论时口若悬河引经据典，武斗时冲锋在前手擎大旗。到了兵团他更是上山伐木，下河网鱼，盖房挖沟，开着拖拉机在一望无边的耕地上从天黑驶到拂晓；白天从早忙到晚，夜里手不释卷精读了所有马恩列斯的经典著作并写下了大量颇有真知灼见的读书笔记。

他是那种有觉悟的知识分子、坚定的共产主义信徒，忧国忧民，坚信国家和民族的命运担负在他肩上。他对遍及全国城乡的动乱深感忧虑和毛泽东一样发现形形色色的修正主义机会主义分子和思潮正在侵蚀威胁着正统的马克思主义，混淆着全国人民的视听；尽管已揪出了刘、邓，但还有定时炸弹睡在毛泽东身边甚至连毛泽东也没发现。他认为他有责任提醒毛泽东，只有他才能使毛泽东免遭暗算——他发现的坏蛋就是江青。当时他就从她的言行发现了她是如何不忠、阳奉阴违、心怀叵测。他把所有的时间和精力都集中在给毛泽东写的一封又一封言辞恳切、掏心剖腹乃至痛哭流涕、赌咒发誓的揭发信上了，还时而隔月寄上份万言书，洋洋洒洒地和毛泽东探讨些马克思主义的基本原理，大胆地对毛泽东的一些观点表示不同看法。在我眼里，他几乎是个和我们材料不同、不食人间烟火的神。我爱上了这个神，而神对我不屑一顾，坦然地接受我为他做的一切，诸如洗衣、缝被、端水、烧饭从不说上一句话。那是个夏天，我在草垛旁拦住了他，对他表白了我的情意。他仍一声不响只是四顾无人便把我按倒在草垛上一通乱啃，他完全没有经验不知从何下手徒然忙乱着，最后在我的引导下才勉强成事闷声不响地仓皇离去。第二天就揭发了我，一封检举信写到了团政治部，我被作为混在知青队伍中的美女蛇，拉到全团职工知青大会上批判。他再见了我仍是不屑一顾的样子，但每回在路上在田间他单独遇到我总是像那天晚上仓皇逃开像是见了狼，为此我由好气变为好笑，天天寻找机会在四处无人的时候意料不到地出现在他面前，直到有一天他骂了我，用那些陈腐迂词文绉绉的书面语骂了我。不久，上边派人来找他了，用吉普车把他接到省里直接塞进监狱。后来又用车把他拉回了团里；同时带来的还有一纸判决书以反革命罪判处他枪决。在公审大会上他表现得倒是很有骨气，戴着手铐脚镣昂着剃秃的苍白的脸。临刑前据说还高呼了‘毛主席万岁’‘中共万岁’之类的口号,慷慨就义。现在，他当然被平了反，追认为‘革命烈士’。”

“我的第四个男人是回城后结识的。当时动乱刚刚结束，到处的人们都是喜洋洋的。剥夺了地位权力名誉的人们纷纷恢复了权力、地位和名誉，住回了被赶出来的房子，坐上了新车，领回了被没收的财产，活着的各归其位，死了的平反昭雪，所有人都在忙碌捞回失去的时间和其他一切，不但要恢复生活的旧貌还要比过去生活得更好更舒畅。我无事可做，既没有可挽回的什么也没有可希望的什么，我希望结婚尽快有个自己的家自己的孩子。一次在一个礼堂看电影我认识了他，他是个粗粗大大的汉子，看上去给人一种忠厚可靠的印象。我很快和他同居了。因为我反正得和别人住在一起，与其和那些早已陌生的亲戚，不如和一个可以亲近的男人；与其白住领受别人的慈悲，不如自己付出一些，这样住起来也自在。他是个老实人，也中意我，只是为人性格多疑。我想他可能是受过一些不公正的待遇。像他那种老实人在那些年里几乎是不能幸免的。这就使他学得不那么老实了。他总认为别人都在欺骗他暗算他。对我，只要我出去没和他在一起，回来他总要再三盘问：先还比较委婉，后来就比较直接比较粗暴了。他甚至跟踪我像特务一样盯梢，尽管什么也没发现仍锲而不舍，这使我很厌烦。也许正因为什么也没发现他反而更坚信我有什么隐藏很深的不可告人的秘密。他不能理解我无目的地在街上闲逛，也许我真有个情人他倒想得通。终于有一天我出去回来后他动手打了我。对我来说，挨一顿打倒不是什么特别不能容忍的羞辱，促使我下决心离开他的动机是我发现他、一个小人物竟然也如此热衷捞功名捞地位，费尽心机往上爬。本来这也不是他具有的他失去的，本来他也一无所有，他也像受了多大憋屈多大压抑现在要十倍地往回捞。他结识了一个他认为可以使他在他望尘莫及的阶层占有一席之地的真正被耽误了年华的某人的老千金，并设法赢得了她的欢心。于是不乏真挚地流着泪对我说他爱我，让我也说我爱他。我顺着他的意思说了，我想这也不是什么原则问题，我说我爱他。于是他说既然我们相爱就不必在乎形式了，让我们作一辈子好朋友不拘行迹真正相爱纯情感的好朋友，反正我们相爱结婚就作为巩固别的东西的手段吧。他真老实，老实得让我感动。我说我懂你的意思了，一些问题没有，就按你说的办，这实在是最好不过的选择。他听后激动得哭了，说他一辈子爱我像个真正的丈夫一样，爱我让我一辈子像个真正有丈夫的女人一样幸福，永远不会感到寂寞，‘我的心永远和你在一起’。那一夜我们极尽缱绻温柔，他告诉我，我可以‘一直住到我结婚前’。我说好吧。第二天我就走了。我倒不是要他难堪，向他表示我的怨恨。我是觉得没有理由成全他过一妻一妾的理想生活，要是我有个可以为我提供其他一切保证的丈夫，我倒可以考虑给人当个情人。但我也不考虑他，他只能给人当个一般的丈夫，作情人可实在是太乏味了。他作为人来说毫无魅力，只能在法律提出担保后才会有急于结婚的女人肯同他发生性关系。那之后的男人就不胜枚举了，大都是你们这号想占便宜的东西，像五香瓜子一样成袋纷呈而来，嗑一下吃去仁儿也就把皮儿吐了。你们没拿我当人，我也没拿你们当人。后来，冯小刚来了，他是王匡林领着我在他住的那片楼区挨家挨户消灭童子军时认识的。那时他刚复员，大热天穿着胶鞋，脚臭烘烘的，肥大的军裤上扎着人造革武装带，一件军用衬衣腋下背后印着汗碱，举止豪放笑声爽朗，一招一式仍带着大兵的痕迹。他在中越边境战争时作为一名普通步兵在越南丛林中待了一星期，那时胳膊上还有一片片被越南蚊子叮过后抓破感染未愈的红疱和瘢痕。他的裤兜里还装着一枚三等军功章和钥匙指甲刀搁在一起互相摩擦、军功章表面已经磕出了一块块毛刺硬痕。我问他战事，他就说被打毁的坦克、燃烧的村庄、湍急河流上的浮桥、郁郁葱葱的丛林和从他头上串串飞过的高射机枪子弹。别人就笑他，问他越南兵的模样儿，于是他就支吾脸红。后来我才知道，他像我们一样没见过越南兵。他那个连队过境后终日在大山里行军，到达一个指定阵地后又立即接到命令开往另一个集结点，行军时他们饱受越南人的冷枪袭击。进入一个山谷四面看似无人的苍郁大山中，会飞出一串串高射机枪子弹。他们就散开趴在草丛中、水沟里向四面大山开火还击，胡乱打上一阵，枪声消寂了他们就集合起来继续往前走；再遇到袭击再散开趴下还击，就这么在谅山地区走了一圈。他立三等功是因为整个行军中他始终没掉队并在到达最近的野战包扎所前全副武装地用担架抬着臀部被流弹打伤的指导员走了一夜。说起这事，他总是特惭愧特窝囊，打了一回仗连一个死的活的俘虏的敌兵都没见着，就像被人开了场玩笑；出发前他还咬破手指写了份血书。‘越南人真他妈不光明磊落，怨不得美国人也不爱和他们打了。’他这么对我说。我说没关系，你杀没杀敌我都把你当杀敌英雄款待，你好歹比那些没杀着敌人倒被敌人打残成了英雄的家伙般配些；毫毛未损地回来，我没打着你，你也没打着我；我还到你国家走了一遭呢。我很喜欢他，现在像他这么有荣誉感的人不多了，到处都是不知羞耻的牛 × 贩子，谁能比人残酷点都成了资本。我对他说，你不用觉得难为情有负于我，完事你走你的。现在后方没人觉得自个欠别人，都觉得别人欠自己。你一点不必觉得你比别人坏。第二天我走了，把这事忘了。没几天我在大街上遇见了他，他一见我就死乞白赖地拦住我，说他找我好几天了，全城都跑遍了。别人怎么干他不管，他不能就这么完了，他有他的贞节观。既然我夺去了他的贞操，那他死活就得粘上我，娶鸡爱鸡娶狗爱狗。我笑着对他说,他还不了解我。他说他全了解。他自称是纳西人。‘按我们民族的看法，你就是全寨子最出色的女人，有那么多情人。’我说，你没问题我还有问题，我还真没想要嫁你。你是个好情人，但不是个理想的丈夫。丈夫的职责和情人的职责可大不一样。光提供充沛的情感还不够，还要提供种种生活资料创造出能使妻子舒适的环境。所以说，你这个年龄，你这种经济状况，只能给人当情人靠女人供养。我叫他一边待着去，找那些年纪轻的姑娘叙叙情攒够了钱再找女人谈结婚问题。他说我道德败坏玩弄异性，接着他笑了说，不就是钱么好说，弄钱还不容易。我说容易你就去弄，说是好说，我都快老了也没弄着钱，所以只好想法找个有钱的。他说这个有钱的就是他，他这就去弄钱但要我保证在他弄到钱之前这段时间别跟别的有钱的跑了。我要他放心，现在有钱的没一个会娶我。还是我最合适。他说我将要有钱而且还爱你。我一点也不怀疑你的感情。我对他说我希望你能身兼二职胜任从容。不久他再次来找我，说他已经有了门路，说他的一帮战友就是你们正在这里做生意，手里有红宝石把着一个矿脉，让他带些钱去入股，转瞬之间就能利上加利滚出个大雪球。他说他正在四处借钱让我也帮他借，三个月内本利返还。我带他去找了我过去的一些同学，他在他们面前装得很老练很大方，侃侃而谈，吹着他那套生意经和人生观，听得我那些一辈子蝇营狗苟的同学目瞪口呆，认为他既冷酷又精明是干大事的人具备一个成功的生意人的一切素质，是这个时代应运而生。唯有这样的人在这个时代才会横行无忌的得道者。其实他那套玩意儿是仅仅几天前才从我和其他人那里听来的。红宝石的事也纯粹是扯淡，那是你们穷极无聊围着汪若海他姥姥的小臭鞋、玻璃扣子异想天开生发出来的天方夜谭，除了冯小刚这种傻瓜没人上你们的当。你们七八只蝗虫嘴，几天就把我们带来的钱吃得一干二净。我们又像进了越南丛林，四下见不着人影，冷枪一串串飞来，也算打了一回常规战争。冯小刚还做着建功立业的梦呢，我发现他其实是个愚木懦弱净存着侥幸心理指望着别人帮他走运的老实疙瘩；在你们面前只有挨涮的份儿有好事也轮不上他。我对他说好在你有过在越南战场的经验，兜一圈毫发未损地回去还可以跟不知情的人大言不惭地吹一通英雄事迹。你们都有这本事，只要是死无对证的事你们都能吹得天花乱坠，好像个个九死一生经历无数。你们中没出个把作家我倒是一直感到纳闷，那真是你们可以选择驾轻就熟的职业。”

小一号的李江云或刘炎又流下泪，两行泪从她颊上缓缓地淌下来。

“我真后悔，我要是早点认识冯小刚再年轻十岁，我何必陪着他混在这儿跟你们胡扯?！我来都不来，我们就躲在角落里庸庸碌碌甜甜蜜蜜地过日子。可现在，我怎么还能像痴情的小姑娘一样偎着自己心爱的人，盲人一样过神仙日子？假装什么事情也没发生，假装自己还像孩子一样纯洁，那也太做作了。就算我能装他也装不了，他都懂了。我教的。我知道我们完了，没有回头路可走了，眼前这条路也根本不是路，只好装得特康庄特有希望闭着眼睛走下去。我真的爱他，他也仍旧爱我，但我们只好分手，各混各的。我们互相已成了彼此的包袱又谁也不能背起对方，背不动，各人顾各人吧！牺牲不但无谓也徒劳。我真后悔，既有今日，何必当初。我比他大阅事多，应该知道所有别人声情并茂当街叫卖的好事都是扯淡！”

刘炎打开手帕擤鼻涕，刚擦干净的脸又流下两行泪。

“你们还有机会。”我说，“要是我，我就可以只当什么都没发生。”

“你装的了我装不了。”刘炎看着我微微一笑，“你能装多久？这也是在劫难逃，就是我们这次不来以后也会来，就是你们不拿故事诱我们，别人也会拿别的故事诱我们，我们自己也不会安生。”

这时，房间门开了，乔乔探进头来“哟”了一声又连忙缩了回去。

我站起来，走到门口往外看，走廊里没人。我听到对面房间高洋、高晋他们在高声谈话，便走过去敲了敲门，夏红把门打开，见是我便把我放了进去。房间里他们正在翻一个撂在床上的皮箱，长筒袜尼龙衣衫扔了一床。高晋沮丧地看着这些廉价玩意儿说：

“好容易麻着爪儿玩回心跳，又赶上个香港劳动人民。”

我回到房间，刘炎正在灯下对着墙上的长镜匀脸搽口红，她背上挎包拎着雨伞对我说：

“雨停了，我想回去。冯小刚一定还没睡。今晚我真没了情绪，十分抱歉，下回吧。”

“没关系。”我说，侧身给她让道，“本来还想和你多聊会儿。”我看着她，笑，“你聊的让我……说不上来，不是滋味儿。”

“别跟你的哥们儿说去。”刘炎看着我笑，“他们会笑话你。”

“不会。”我说，“我谁也不说。”

“也别为我难过，都是过去的事了，不值当。”刘炎笑了一下，向门口走去。

“哎！”

“什么？”刘炎在门口停下来回头瞅着我。

我笑：“别来找我们了，我们这儿都是坏人。”

“知道了，谢谢。”刘炎凝视着我的眼睛，微笑。

“找个好人不容易。”

“我记着了。”刘炎点点头，拉开门疾步走出去。

“有个好人不容易。”我在房间里自言自语，“好人不容易。”

那天晚上，我在雨后寂静黑暗的城里走了很远，一路上我没遇到一个人，空气潮湿清冽，我脑子清醒得异乎寻常。我被一种幼稚的情感所支配，像个孩子似的一会儿热泪盈眶，一会儿兴奋地笑，毫不害羞。正是这种情绪使我迟迟不敢回住所，我怕面对我的朋友们。

泪眼中的城市一片朦胧绰约，我记不得我走过了哪些街见到了哪些建筑。我只记得天上有个橙黄的月亮，地上有些橙黄的路灯，在那些一模一样的街道上投下昏暗的光晕，暗得睁不开眼。

我知道此刻使我热血沸腾、激动不已的想法和念头只能烂在我心里，一旦说出去只会显得可笑，无论对谁。

我知道我很荒唐，现在这副样子很愚蠢，这种东西谁也不需要，包括我自己。我应该平静下来，尽快若无其事地回去，不露马脚地回去。

我对我自己这么失态很厌恶，我已经不是小孩子了，那天拂晓我回到旅馆的样子很正常，像是狂欢了一夜回来。

第六天

烈日下的街头车水马龙，到处停着支着白色凉篷的冰车。我看到我的朋友们坐在一条大街旁的槟榔树下的草坪上，说着笑着，吃着蛋卷冰激凌，指点着无辜的过往行人品头论足。

“要宰就应该宰这号的，这肯定是个‘大款’。”

一个挎着个前挺后撅的妖娆女郎的大肚皮秃顶老头儿走过去，许逊指着他说："瞅丫那操行，三分之二的身子三分之一的腿，一肚子民脂民膏还挎着妞儿。"

"是比较气人。"高洋吃完蛋卷冰激凌抹着嘴说，"那么大岁数也不知道颐养天年真他妈找打。怎么着，咱祸害了他吧？"

"祸害了。"汪若海站起，叉着腰歪着头说，"高洋、许逊你们俩先上去给老东西一个绊，踩住他别让动，冯小刚、高晋搜他兜，我背那妞儿。"

"你这样抢不着多少东西。"高晋说，"那脏妞儿你背她干吗？也不怕虱子隔着衣裳钻你裆里。咱应该告他那是那妞儿的哥哥上去就抽，连妞儿一起抽，抽晕了算。然后讹老东西拽着就上派出所，要不就上你们家。"

"对对，这可以，再让老东西写个悔过书，那就等于有了个活期存折。把那妞儿就近找个马桶按进去冲了，要不脑门子上贴张八分邮票远远地寄黑龙江去。"高洋说，"这么干有意思，先得弄清老头和那妞儿什么关系，别是父女俩。"

老头儿和女郎已经走远。

"父女俩也一样按，就告他们乱伦让咱逮着了。"

一个衣冠楚楚的中年人走过来。

"这怎么样？"许逊乜斜着眼睛问。

众人一看那中年人。高洋说："这也按得过。"

"这得乔乔或夏红上。"许逊说，"跟他起腻，看他上不上套儿，上套儿咱就一拥而上，全告是娘家亲戚，都八小时没吃饭了，先宰丫一顿饭再说。"

"你那么着急干吗？一顿饭有什么劲呀？"高晋说，"要宰就往狠里宰，让乔乔跟他发展，咱们后发制人。先让他占点便宜，占完便宜咱们就到他家找他老婆去。汪若海你就装委屈的丈夫，问他老婆你说怎么办？你丈夫把我老婆搞了，要不拿钱我们就把你搞了。”

“搞完还得拿钱，不拿钱咱们就伙在一起过，只当给你孩子再添对小爹小妈。”高洋笑着对乔乔说，“怎么样乔乔？干不干？给你找个吃饭地方，那孙子他们家肯定吃得不错。”

“行啊。”乔乔坐着嗑着瓜子说，“哪儿吃不是吃？”

“能勾搭上吗？”

“没问题。”乔乔瞧瞧走远的那个中年人，“一勾一准。”

“哎哎，又来一个，你们看这个怎么样？”高晋低声说。众人一起偏头，一个娃娃脸的姑娘走过来花枝招展。

“这对你们胃口。”乔乔笑着说。

“这个我看这么办。”高洋说，“高晋、许逊你们俩装流氓上去纠缠她，然后我冲出去把你们打跑。”

“不不，还是你和高晋装流氓，我把你们打跑。”

“我不跑。”高晋说，“我把你们打跑，咱看谁真能把谁打跑。”

“这就没劲了，咱真打就没劲了，那得打一会儿，这姑娘早跑了。现在这人，你挺身而出他扭头就撒，把你和流氓撂一起。”高洋说，“我让你们当流氓是有道理的。你们手腕比我差。谈姑娘爱听的理想人生你们行吗？你们侃得出我那境界吗？咱先得把这姑娘精神升华了，让她觉得物质金钱都是特肮脏特鄙俗的，然后再把她抛弃的都拣过来，露出特伪善的嘴脸，让她觉得特厌恶，自个就颠了，钱也不要了，一辈子特瞧不起咱，再见面也不打招呼。”

众人笑。高洋说，“不知你们说我说的有没有道理？”

众人大笑。那姑娘闻声往这边看来，高洋也看着她大笑：“完了，让她看见咱跟流氓是一伙了。”

“你别做梦了。”高晋说，“你那一套早过时了，现在都明白着呢，谁上你的当？能跟你侃理想的都是穷人，有钱的谁不知道钱好？”

“你得这么想啊，有那钱多了烧包的想拯救一下自个灵魂。”

“瞧瞧，又过来一个，这你冲上去吧，这我们给你当流氓。瞧她手上还戴着金戒指呢。”

一个穿着黑色香云纱的老太太蹒跚地走过来，脸皱得跟个核桃似的。众人忍不住看着老太太就乐。老太太知道这帮年轻人在笑自己，直翻白眼，众人愈发地乐。

“不知你们拿老年人开什么心？”高洋批评大家，“人家老太太多老实，长得跟王母娘娘似的，一辈子没招谁没惹谁。大妈您慢走。”

老太太听不懂高洋的话，见高洋冲她喊又翻了个大白眼。

众人乐得人仰马翻，一个赤脚穿凉鞋扛着扁担的乡下小伙子走过来，众人瞧着他，许逊问高洋：“这怎么样？”

“这不怎么样。”高洋说，“比咱们还惨。”

“这你就臭了，现在老帽都有钱。”许逊说，“别看人家脸上那泥还没搓净，炕席底下一沓一沓的票子。”

“那咱把乔乔发给他了。”高洋回头冲乔乔一挥手，“你让老帽蹂躏几天，然后给他锅里下点耗子药，老帽的家产就全是你的了。”

“滚你的吧。”乔乔咬着瓜子吸着仁儿说，“你怎么不让你们夏红去给老帽下药？”

高洋笑着瞅了眼一旁坐着的夏红，“夏红不行，老帽不喜欢，老帽喜欢敦实的，那娶媳妇送财礼都得先上秤称好了斤数，按斤两付钱。”

“那你去吧，你足斤足两。”

“不知你怕什么？瞧不起农民兄弟？老帽也是人，有什么呀，大不了跟冯兄去越南一样，逛一圈谁也没打着囫囵着回来了，人也是三等功臣，说起来也有的说。”

大家都看着一直坐在一边没吭声的冯小刚笑。冯小刚也笑，笑得有点尴尬：

“你们真没劲，说着说着又说到我身上来了。”

“冯兄，”高洋走过去坐下对冯小刚说，“我要是你，我在越南就找一没人的地方给自个一枪，假装是在战斗中牺牲。那回来你就不止是个三等功，授你个光荣称号也没准。也用不着受这些小人的挤兑，好像你去越南也是动嘴不动手。”

“就跟你是个动手的人似的。”靠着槟榔树坐在另一边的刘炎露出头说，“我看你们热热闹闹说了半天，人也一拨拨过去不少，都安然无恙。”

“你说咱真要在这儿设一卡子，来一个害一个，别人会怎么想？”

“别人会以为国军的伞兵空投在这儿了。”冯小刚说。

我和百姗打着一把阳伞从熙熙攘攘的街里有说有笑地走出来。烈日下的街头车水马龙，到处停着支着凉篷的白色冰车，行人摩肩接踵地走在街两旁阴凉的楼底便道上。我看到我的朋友们坐在街角一个小门脸的简陋冰室里，吃着不带任何点缀的普通冰激凌，看着门外街口南来北往的男男女女指手画脚。

“要是这会儿我手里有一支五六式冲锋枪，端着冲到街上‘嗒嗒’扫个扇面，街上的人会怎么样？”高洋比画着问冯小刚。

“踩死的会比你打死的多。”冯小刚说。

"要是咱哥几个一人手里有一支呢？"

"那这城市咱们就军管了，直接冲进市府改公社了，咱们成立一个革命委员会，轮流执政。"

"我不用执政。"许逊插话说，"就派我去领导文艺界就行了。"

"我接管外贸和旅游。"汪若海说，"以后你们到我的饭店吃饭一律按价倒找钱。"

"高晋把公安、税收、海关抓起来。方言可以让他去管计划生育和爱国卫生运动。"

"所有的银行、企业一律没收。"高晋说，"小商小贩也全部课以重金罚款。"

"北伐吗？"高洋问。

"不不，还北伐干吗？"高晋说，"咱独立了，中央政府要不干，咱就区域自治。女士们可以作为咱们的代表派驻中央政府。"

"多损，把咱们往虎口里送。他们要当政，咱们就得倒霉。"乔乔笑着说，"肥缺我们不争，安排个妇联、工会之类的群众团体总行吧？"

"不行，你们太了解我们底细了，哪能留着你们，得灭口。"高洋说，"他们我也得一个个收拾，一个不能留。我上台得杀人是不是，高晋？所有社会贤达、遗老遗少统统枪决。"

"不能立刻枪决。"高晋说，"应该作为人质扣押起来，哪方面出了乱子就将哪方面的头儿示众枪决，希特勒的路子。"

"对，咱不能犯巴黎公社的错误，要用铁腕，巩固政权就得这样。焚书坑儒算什么？我们杀就杀他个血流成河。"高洋笑着对大家说，"你们要想在新社会里活下去，这会儿就得对我好点，譬如这会儿谁有钱请我好好吃一顿。否则我上台后可不念旧情，就算你们跪下来求我，我起码也得把你们送进集中营。"

“那我们哥几个就联合起来把你们哥俩杀了。”许逊笑着说，“那会儿我们也都是各路诸侯，手下都有人。”

“那我们就发动‘文化大革命’。”高晋说，“把你们批倒批臭再踏上一万只脚。”

大家笑，乐不可支。夏红光顾笑没留神抬肘把一个碟子碰到地上打碎了。高洋对闻声走过来的服务员连忙说：“我们赔我们赔，一起记在账上。”他掏了钱付了账单把瘪瘪的钱包塞回腰里，笑着摇头叹道：“英雄潦倒，英雄潦倒。”

“咱趁丫潦倒先治丫的。”许逊对大伙儿说，“反正丫得好儿也没咱们的好。”

说着他扭起高洋一只胳膊，高洋和他扭成一团。

坐在一边的刘炎看了眼冯小刚，两人相视无奈一笑。

烈日下的街头车水马龙，到处停着支着凉篷的白色冰车。我和百姗打着阳伞从熙熙攘攘的街口走过，我的朋友们从冰室出来，站在阳光中向我起哄又笑又嚷。我和百姗从阳伞下露出笑脸，向他们招招手，继续往前走。行人摩肩接踵地走在阴凉的楼底便道上，到处停着支着凉篷的白色冰车，烈日下的街头车水马龙。

第四天，第三天……

嘈杂宽阔的机场大厅里，人群在走动，堆着皮箱的行李车穿行在人群中，女播音员低沉柔和的声音在天花板下回荡，有人在服务台边打电话，有人站成一圈微笑着说话，有人在沐浴着阳光的大玻璃窗前的沙发上昏昏欲睡。大玻璃窗外的停机坪上一架架银白色的飞机在滑行，远处有田野有沟渠有朦胧淡抹的山峦，这一切都笼罩在艳阳的光芒中。蓝天如洗。一架拖着白烟的飞机，大鸟一样地抬着机头展着双翼缓缓飞向蓝天远方，久久停留在视界内愈来愈小。

我看到人群中的瘸子王匡林西服笔挺地坐在靠窗的沙发上，脸罩在夺目的光晕中，五官模糊只有颈以下带条纹的高级衬衫和深色西服清晰可见，他细长戴戒指的手指间夹着一支袅袅冒烟的长支香烟，跷起的皮鞋尖熠熠反光。他斜对面排着长队的值机台前，我和高洋正站在行李磅旁和一个女工作人员说话，川流的旅客不断遮住我们。高洋几乎和那些办登记牌的男男女女混为一体，只有我明显站在一边。刘炎和冯小刚拖着走轮包出现在人群里。他们刚下飞机，神采焕发。刘炎穿着一件白色华贵的连衣裙，脸施鲜艳的浓妆美丽迷人，在人群中相当显眼。冯小刚站在一旁黯淡无光被人群遮挡，像个不相干的人。我抬眼视线穿过人群和站在那里向这边望的刘炎视线相遇，她粲然一笑。我捅了下身边的高洋，他回头看了眼又返身趴在柜台上说话。我独自穿过大厅向刘炎走去。高洋片刻之后才连跑带蹿地跑过来，这时一个日本山口县农民观光团戴着一色的白遮阳帽在举着小旗的导游带领下，像一支入场的运动队走过机场大厅，顿时将我们淹没在人群中。待他们走完，排队进入通往候机室的边防检查站门里人数愈来愈少后，我们已在一根光滑的水磨石柱子后的沙发上坐下眉飞色舞地说话，柱子旁放着一个细高的印有中国民航标志的铁皮烟灰筒，高洋、冯小刚被遮在柱后，只有我和刘炎坐在一起。刘炎说了一句什么我哈哈大笑。又一群人高马大、白发苍苍的美国老头老太太挺胸凸肚毛茸茸地携包拖箱而过。

红色计程车在前面车流里若隐若现。

城市里弥漫着强烈的阳光，车窗外闪过一间间高级商店和豪华餐厅，琳琅满目顾客盈门。闹市区广告招牌霓虹灯比比皆是，繁华商业街一条挨一条，人群熙熙攘攘车辆川流形成一大片五光十色跳动着活力的花花世界到处充溢着阳光。

大厦上无数的玻璃窗和一排排商店橱窗镜子一般明晃晃地反着光。

林荫道上一条连绵的波形矮墙覆绿瓦蔽竹林，象形窗每隔数步依次排去，隔窗可见园内有山有水有累累花果。

路边出现一条暗绿色几乎停滞不流的小河飘着一团团浮萍，河对岸绿色植物长柄扇叶婆娑摇曳。

红色计程车驶过一座白色大厦，停在街边朱红灯笼悬垂的华丽牌坊式门前。我看到我们一行人鱼贯下车进入华丽的牌坊式大门。

大厅里金碧辉煌像是古装戏里的豪华宫殿，灯光雪亮耀眼，到处熠闪华彩。女服务员穿着描龙绣凤的丝绸旗袍像时装模特儿一样扭着腰肢款款走动。大厅里足有四五百珠光宝气的男人女人在又吃又喝。我们一伙儿坐在一壁镶有镜子的酸枝木圆桌旁，镜子中毫无二致地坐着另一群。我们满脸堆笑互相对视展着餐巾斟着茶碗，强烈刺目的灯光下我们人人脸色蜡黄笑容僵硬。

我们面前堆满盛在精致的银鼎里的五彩缤纷的菜肴。

面色苍白像搽了白粉嘴唇鲜红的高洋说：“只要你敢干，钱花出去还会水一样地流回来。”

“只要你敢想我就敢干。”面色苍白像搽了白粉嘴唇鲜红的冯小刚说，“我是黑了心的，杀人我都去。”

“只要你揣了吃孩子的心，事儿就没有不成的。”面色苍白像搽了白粉嘴唇鲜红的高洋指指我们在座的，“这些都是干实事的人，已经把这儿折腾得天翻地覆，再加上你，咱们更可撒欢儿了。”

我们男男女女脸色苍白像搽了白粉嘴唇鲜红地笑盈盈地瞅着

冯小刚。

“咱们不这么干不行了，别人都在干，最贪婪最拙劣地干都他妈发了财。”

“咱们也就是以前太正派没干，咱们要真干哪还有他们什么事？咱们不比他们猛？越南人怎么样？美国人都治不了的叫咱哥们儿治了。”

“咱们是不干则已，干就干个大的，惊天地泣鬼神。咱们这几个哥们儿都一肚子坏水儿，蓝衣社想不出来的咱都能干出来，天上地下飞的跑的只要叫咱看上了他就逃不出咱的算计，全国的人精都在这儿了。”

“干，哥们儿豁出了，能找着诸位这么对脾气的人不易。咱不能这么窝窝囊囊地活着了，让他们尝尝咱们的厉害，生产打仗都是模范。”

“我们最恨那光说不练的人，要么不说，说了就雷霆万钧。”

“跟我一样，蔫人出豹子，叫醒一回不容易，醒了就叫你摧肝裂胆。我怕谁呀？我动起来那就是挟风掣电叫你躲都来不及，怎么打越南人的我就怎么打你们！”

“咱们都这样，看着松头日脑，那叫真人不露相！”

冯小刚端着酒杯笑呵呵的：“我就笑啊，不定谁倒霉呢！碰着咱们这帮人，打明儿起。”

“爱谁谁，一律活该！”高洋斩钉截铁地说。

镜子里的男男女女咧着嘴笑。刘炎面色苍白像搽了白粉嘴唇鲜红，我望着她她望着我。金碧辉煌的大厅灯光雪亮耀眼四壁熠闪华彩。女服务员穿着描龙绣凤的丝绸旗袍无声的服装模特儿一般扭着腰肢款款走动，镜子里窗户上映着一个个她们的倩影或清晰笑若花朵或朦胧影影绰绰。

那座灯火辉煌的酒家一点点黯灭了，白色计程车从街角拐出来，驶过树影斑驳的马路。月光皎洁人群熙攘，马路与暗处潺潺流动的小河并行，月光下热带植物的扇叶婆娑摇曳，黑黝黝的竹林下一道矮墙像一道凝固的波浪滚向黑色之中。

商店橱窗明晃晃像一条镜廊，人群流过络绎不绝如同缤纷的鱼游在水族馆的玻璃环厅内。

我看到一条条或明或暗的街上的一排排树木，霓虹灯在树叶间红绿闪烁，一个个圆形或方形的广场上的人群和雕塑。

计程车在一条昏暗僻静的街上停下来，停在那座灰白色的旅馆大楼门厅前。我和凌瑜走下来，计程车开走了，凌瑜站在那儿仰头看着旅馆楼上窗户透出来的灯光映在她眸子里带着笑意：“这就是你住的地方？”

“这地方不错吧？”我笑着说，“上去吧，这儿的房间很高级。”

旅馆走廊亮着一盏盏灯，一道昏黄的光线。

旅馆各个房间里都荧光闪闪地播着电视节目，人物对白声和画面的音响在走廊里瓮声瓮气地回荡：人群在呐喊厮杀，坦克履带轧轧作响，冲锋枪在点射，火箭炮在齐放，雄壮的交响乐，高昂的男声齐唱，强击机尖啸着掠过伴随着隆隆炮声。

我的胃疼沉甸甸的像涨满尿的膀胱一阵阵往上涌，嘴里有一股甜甜的发酵味。

房间里漆黑，月光洒进窗户像一幅挂着的银幕，人影晃动演着皮影戏，一张潮湿的嘴对着我的脸呼出热气。我闻到一股浓烈的“紫罗兰”香水味像春天动物园兽笼中弥漫的麝香味既难闻又迷醉。

她从空中慢慢下降像儿童叉着腿从滑梯上溜下来，惬意感如同涟漪在我身上一圈圈散开。

我手心抓着大把丰厚结实颤动的肉是那样真实不容置疑。

隔壁房间有人在拨电话，我听到号码盘一圈圈转动的嗒嗒声，没人说话只有号码盘断断续续一遍又一遍周而复始地嗒嗒响。

窗帘飘拂，月光似霜，她在喃喃自语：“我爱你我爱你。”萦回不去，感觉温暖皮肤光滑鬓发擦腮人陷沉迷床簧吱呀桨声欸乃，她的体态如骏马般地雄健高高耸起。

我身体的底蕴被触动被激活犹如一线波涛从天外远远奔来愈来愈清晰愈来愈浩荡万蹄纷沓。

房间里有个声音重复着一句话，像是我对她说又像是她对我说愈来声愈大，仿佛一张巨大的脸对着麦克风正念着。唱针不走了唱盘在原位一圈圈地空转：我爱你我爱你。

浴盆底的塞子猛地拔出，一池热水流散开来漫淌在瓷砖地上，光溜溜轻汩汩白亮透明，脚底板热乎乎的，风吹来一阵阵凉意。

半夜，月光把室内照得明澈一片，窗外繁星璀璨如琉璃盆倒悬，家具什物影影绰绰，我身边卧着一具白羊般的躯体就像在野外露宿虽眠犹醒。

我好像刚刚入睡就响起了电话，铃声如在远处的一个空房间里有节奏地响一阵歇一阵始终没有人接。

外面天已大亮，街上有车行驶，路边有人走动，白雾缭绕在街边绿地的热带植物丛间，树叶滴着水片片闪闪发亮，一束阳光穿雾而泻，膨胀腾挪，形似芒散，白雾消退，水汽蒸发，楼厦街道露出面目，行人车辆也个个清晰。我看到路边出现一条暗绿色的几乎停滞不流的河，一路掩蔽在茂密低垂的法国梧桐大如团扇的叶片下。我沿着河边长满斑驳青苔的便道，满脸微笑走向一个迎面漫步而来的姑娘。那个姑娘脸若团扇温柔恬静肩挎一个银灰色合成革柔软女包在绿荫下穿着一件素花圆点连衣裙楚楚动人。

在波浪般起伏跳跃的矮墙上洞开的一个心形窗旁我拦住了那个姑娘，微笑着说：“我好像在哪儿见过你。”

姑娘纯洁地凝视着我，一语不发。

我微笑着：“虽然我昨天才到这个城市，可我好像已经在这儿遇见过你很多次了。我们好像都经常来到这里散步，这是什么地方？我们从前相见又是在什么时候？你不记得我吗？”

姑娘点点头，又摇摇头。

“我们是不相干的人还是彼此有缘分的人？为什么我们总是相遇又从不说话？你看着我，我看着你，像这周围其他人一样？”

姑娘像滴露珠一样，清新透亮，仿佛随时要从树叶上滚落，融化在滑溜溜的青苔地上。

“我要记住你。”我温和地对姑娘说，“告诉我，你叫什么？从哪里来？到何处去？家住哪里？是干什么的？——你跟我说说话呀？”

“告诉你也没有用。”姑娘轻轻说，“你将来也会忘的。”

“我们是在梦里对吗？”我微笑着说，“我们是在一个梦里。你是谁？怎么会走进我的梦里？你真有其人吗？”

“我也想问你是谁，怎么会走进我的梦里？”姑娘飞红着脸笑着说。

“我叫方言，是个坏人，住在北方一个很远的城市。”

“我叫凌瑜，是个好人。”

“不管好人坏人，既然是在梦里，是好是坏都无所谓。”我挽起姑娘的手，沿着长长的波形矮墙往前走。“也不必害怕，怕坏人欺负了好人，反正将来梦一醒，我们都还躺在相隔千里的家中的床上，都会忘记的；至多是做了个噩梦，在梦里哭泣伤心，醒来就会发现一切都没发生，梦中的遭遇和我们毫不相干。”

“为什么你不带着我做一个美梦呢？在梦里不全可以由我们俩做主？”

“就依你。”我哈哈笑瞅着姑娘，“让我们努力做个美梦。”

“就我们俩，我们不让别人走进我们梦里。”

“不让。”我保证说，“我们有权支配我们的梦。”

第一天

那是个多边形的大广场，四周环列矗立着鳞次栉比的高楼大厦，新旧不一、式样各异、尖顶方顶、簇簇层叠，有的高耸入云，有的横亘长街。通体一排排自下而上的玻璃窗在阳光下像无数只排列有序的眼睛从四面八方注视着广场。广场一端是一座类似足球场看台的观礼台，一排排栏杆一道道水泥阶梯。每逢重大节日当地党政军要人就会像合唱队员一样一层层梯次站在上面检阅一场袖珍的阅兵式和群众游行并发表重要讲话和号召。此刻那上面空空荡荡只有一些年轻的母亲带着蹒跚学步的孩子爬上爬下。广场上还有一根旗杆，每逢重大节日和重要人物逝世那上面就会有一面国旗或飘扬或半垂。此刻旗杆也是光秃秃的。旗杆遥遥相对处有一座新修的大型喷水池。每逢重大节日就会万泉喷涌、五光十色、音乐阵阵。此刻也是干涸，落满冰激凌、汽水的包装盒瓶纸。我看到方言和他的朋友们坐在圆形的彩色水砂石池边一人含着一块糖，吮着一根烟，两腿垂荡着，剪着小平头穿着肥大的军裤那样年轻，像一群逃学的中学生。成年庄重的人们带着孩子在他们周围走来走去，不时弯下腰来衬着某一幢高大建筑物拍上一张照片。成群结队的计程车在广场两旁的林荫道上飞驰，停在那些富丽堂皇的宾馆、酒家、写字楼门口，又飞驰地驶开。在广场另一端开阔的视野内汇成流，源源驶过一座庞大有穹形钢梁吊臂的黑色铁桥，驶向桥对面密密麻麻的街区。桥下一条宽阔的江缓缓流过，黄水滚滚不时驶过一条汽艇、拖轮、驳船、汽笛声在江上沉闷响起远远传到广场十分微弱。

广场上阳光和煦，暖风熏人，走动着的人群的轻薄衣衫袂裾飘飘。方言和他的朋友们迎着阳光眯缝着眼，满面笑容。

“我喜欢这儿。”方言看着广场四周的景致愉快地说，“我喜欢阳光充足的南方城市。我喜欢看气派华丽的房子和漂亮讲究的人。”

“我们要住最高级的房间，吃最好的东西，我来之前就发了誓，要把这儿所有的山珍海味都吃个遍。”许逊说，“咱们也奢侈一下。”

“该咱们奢奢了。”汪若海说，“咱们卖了那么多年命，该过过好日子享享福了。”

“瞧你们几个那乡下佬样儿。”高洋笑着瞅着他这些刚从部队复员的朋友，“你们也配在这儿奢？”

“哥们儿有钱。”方言笑着说，“哥们儿的复员费全带来了，好几百，咱们现在也可一掷千金了。”

“千金顶个屁！好几百管个蛋！你那几年当兵领的赏钱还不够一顿吃的。就你们还想吃遍这儿？把你们零卖了也不够。我和高晋先到这儿时，悠着花悠着花三天之后也只吃炒粉了。我比你们兵龄还长，拿的复员费还多。在这儿你要么趁钱，要么你就得忍着。”

“咳，咱们又不长住，玩儿天钱花光就走。”

“那你现在就得走，你那点钱也就够来回路费，再住上一夜两夜，这你还得悠着。真正奢的地方也不能去，也就是吃吃煲仔饭吧。”

“咱们凭什么忍呀？对不对？”许逊瞪圆眼睛说，“咱们谁呀？从来都是人尖子，咱们吃肉别人喝汤现在也不能掉过个。”

“我还不信了。”汪若海嚷着说，“这么好的地方愣没咱们什么事。到底谁是国家的主人？我调兵平了这地方。”

“你丫牛 × 什么呀？”高晋笑着说，“你最多也就把你原来手下的那班报务兵调来，总共三人。你要真横，你还不如坐这儿原地倒电子表，那也比你调一个军来管用。”

“我能干那事？打死我也不干，咱不能跌那份儿。那是人干的吗？咱是当海军司令培养的。”

“对，咱不能跟他们一般见识，让他们丫挣去，挣足了咱给他们来个一打三反全没收喽。”方言说，“咱要钱干吗？没钱咱过的也不比有钱的差，也不看这是在哪儿，谁的天下？资本主义成了。”

“那你们就忍着吧，等着国家替你们出气。”

“甭理他们。”高洋对高晋说，“这几个人还没从梦里醒过来呢，在这儿过几天他们准变。要钱干吗？用处大了。不知道钱有用的只有两种人，一种是生下来就有钱的，一种是还没尝过有钱的滋味的。装他妈什么精神贵族！中国有什么贵族？一水的是三十年前的放牛娃翻的身，国库封了全他妈得要饭去。”

这时，广场一侧的一幢楼房着了火，火苗从楼顶窗户冒出来，鲜红地舔蚀着光亮的铝合金窗框在米色的大楼外壁蹿升，火舌到处，一片焦黑，玻璃和金属在火焰中融软灼热地流淌，下面的一层窗户也燃烧起来。半幢大楼在熊熊燃烧，火苗冲透楼顶在阳光晴朗的天空下鲜红地伸缩飘抖，股股黑烟冲天而起，滚滚漫延在一望无垠的蓝天。救火车拉着凄厉的警笛从广场的各个街口开出，飞快地驶向着火的楼房。

“我顶烦那种一无资本又装得特高贵特上流社会的男女，这个时代的任务就是埋葬这种人让他们二世而绝。”高洋恶狠狠地说，“他们的下场可能还不如满清的遗老遗少，他们每个人的家里都没有可以典当的金银宝物，全是公家发的粗笨木器。”

高耸的楼房像一只巨大的松明火把在燃烧，火苗在明媚阳光下鲜红无比。人群在楼房下聚集起来，消防车竖起高高的云梯，几条银亮的水龙从不同方向向楼顶射去，消防队员的头盔在阳光下闪闪发亮，水花四溅，晶莹万点，火焰向上冲去燃成熊熊的一片示威地高高烧着肆虐着，天空黑红翻滚，四周楼顶厦尖安详地沐浴在迷蒙的阳光中。

我看到远处火车站广场上的棕榈树和走动的人群；看到一群群飞驰来飞驰去鸟一般的计程车；看到进站口和出站口蚂蚁般围聚进进出出的黑色人流。我看到一列火车从车站大楼后面的拱顶站台开出，穿过城市的立体马路、郊区的一片片房屋驶向一望无尽的田野，村庄、河流、工厂在大平原上星罗棋布，列车像一条短短的黑毛虫蠕动在天地间。远处，蜿蜒曲折的漫长海岸线上一道道白浪冲溅着扬起，此伏彼起的波涌像是一条跳跃不休的大蟒盘身收腹牵南扫北，东海滔滔流向西洋，海上有一支舰队乘风破浪，一片油渍飘漾散化在蓝色的波涛间。阡陌纵横，短短的列车穿过一条条横裂大地江川，山脉骨节般在大地连绵隆起，皱襞的丘陵黑魆魆千里干涸旷无人烟，我像断线的珠子滑落空中向茫茫大陆急剧奔去，倥偬间我看到向远处飘飘坠去的另一个方言。

我好像是坐在隆隆疾驶的火车窗旁看一本书，田野大片地向后掠去，远处有村庄有炊烟，天空疾速斜飞着像被枪弹击中弧划坠落的小鸟，白云随车同行。书中故事的主人公沉溺赌博，不务正业，忽一日被警方怀疑有杀人前科，遂一日日整理记忆，拜访旧友，理出一本生活流水账偏偏仍缺七页。我看他苦心孤诣，搜神寻鬼，穷至少时，仍无从查考。想来这人也糊涂得可以，首鼠两端，知其始不知其终。这厮已经远去，神气活现地穿上水兵服回到他那艘老旧的海军炮艇上。作者似无意收笔，还要洋洋洒洒地写下去，一直将他送回他妈的肚子里。我却没兴趣再看下去。我料他也不过是最后变个笑眉笑眼的胖宝宝招着小手叼着个奶瓶子坐着童车招摇过市人见人爱。

我合上了这本只看了三分之一的书，被我翻弄过的页码和未打开的页码黑白分明。

王朔

主要作品年表

【1978年】

《等待》（短篇小说）发表于《解放军文艺》第11期。

【1982年】

《海鸥的故事》（短篇小说）发表于《解放军文艺》第8期。

【1984年】

《空中小姐》（中篇小说）发表于《当代》第2期；

《长长的鱼线》（短篇小说）发表于《胶东文学》第8期。

【1985年】

《浮出海面》（中篇小说）发表于《当代》第6期。

【1986年】

《一半是火焰　一半是海水》（中篇小说）发表于《啄木鸟》第2期；

《橡皮人》（中篇小说）连载于《青年文学》第11、12期。

【1987年】

《枉然不供》（中篇小说）发表于《啄木鸟》第1期；

《人莫予毒》（中篇小说）发表于《啄木鸟》第4期；

《顽主》（中篇小说 ）发表于《收获》第6期。

【1988年】

《痴人》（中篇小说）发表于《芒种》第4期；

《人命危浅》（中篇小说）发表于《蓝盾》；

《毒手》（短篇小说）发表于《警坛风云》；

《我是狼》（短篇小说）发表于《热点文学》；

《各执一词》（短篇小说）发表于《文学故事报》；

中篇小说集《空中小姐》由中国青年出版社出版。

【1989年】

《一点正经没有》（中篇小说）发表于《中国作家》第4期；

《千万别把我当人》（长篇小说）连载于《钟山》第4、5、6期；

《永失我爱》（中篇小说）发表于《当代》第6期；

长篇小说《玩的就是心跳》由作家出版社出版。

【1990年】

《给我顶住》发表于《花城》第6期；

《王朔谐趣小说选》由作家出版社出版。

【1991年】

《我是你爸爸》（长篇小说）发表于《收获》第2期；

《修改后发表》（中篇小说）发表于《小说家》第4期；

《无人喝彩》（中篇小说）发表于《当代》第4期；

《谁比谁傻多少》（中篇小说）发表于《花城》第5期；

《动物凶猛》（中篇小说）发表于《收获》第5期。

【1992年】

《你不是一个俗人》（中篇小说）发表于《收获》第2期；

《懵然无知》（中篇小说）发表于《都市文学》；

《许爷》（中篇小说）发表于《上海文学》第4期；

《过把瘾就死》（中篇小说）发表于《小说界》第4期；

《刘慧芳》（中篇小说）发表于《钟山》第4期；

《千万别把我当人：王朔精彩对白欣赏》（王朔、魏人合著）由人民中国出版社出版；

《过把瘾就死》（著名作家新作大系）、《王朔文集》（纯情卷、矫情卷、谐谑卷、挚情卷）由华艺出版社出版；

《我是王朔》由国际文化出版公司出版。

【1993年】

《海马歌舞厅：四十集电视系列剧》（电视剧本选集）、

《青春无悔：王朔影视作品集》由中国社会科学出版社出版。

【1995年】

《王朔文集》（1—4卷）由华艺出版社出版。

【1998年】

《王朔自选集》由华艺出版社出版。

【1999年】

长篇小说《看上去很美》由华艺出版社出版。

【2000年】

《美人赠我蒙汗药》（对话集）由长江文艺出版社出版；

《王朔最新作品集》由漓江出版社出版；

《无知者无畏》（随笔集）由春风文艺出版社出版。

【2001年】

《文学阳台——文学在中国》、《美术后窗——美术在中国》、《电影厨房——电影在中国》、《音乐盒子——音乐在中国》等“文化在中国”网站系列丛书由上海文艺出版社出版。

【2003年】

王朔文集（包括《顽主》、《过把瘾就死》、《我是你爸爸》、《玩的就是心跳》、《篇外篇》、《橡皮人》、《千万别把我当人》及《随笔集》）由云南人民出版社出版。

【2007年】

小说集《我的千岁寒》由作家出版社出版；

长篇小说《致女儿书》由人民文学出版社出版；

小说随笔集《新狂人日记》由长江文艺出版社出版。

【2008年】

长篇小说《和我们的女儿谈话》第一部发表于《收获》第1期，并由人民文学出版社出版。

图书在版编目 (CIP) 数据

玩的就是心跳 / 王朔著. — 北京 : 北京十月文艺出版社，2016.6
（王朔文集）
ISBN 978-7-5302-1570-8

Ⅰ. ①玩… Ⅱ. ①王… Ⅲ. ①长篇小说—中国—当代 Ⅳ. ① I247.5

中国版本图书馆 CIP 数据核字（2016）第 057323 号

玩的就是心跳
WANDE JIUSHI XINTIAO
王　朔　著

出　　版　北京出版集团公司
　　　　　北京十月文艺出版社
地　　址　北京北三环中路 6 号
邮　　编　100120
网　　址　www.bph.com.cn
发　　行　新经典发行有限公司
　　　　　电话（010）68423599
经　　销　新华书店
印　　刷　北京盛通印刷股份有限公司
版　　次　2016 年 6 月第 1 版
　　　　　2022 年 10 月第 11 次印刷
开　　本　850 毫米 ×1168 毫米　1/32
印　　张　8.25
字　　数　185 千字
书　　号　ISBN 978-7-5302-1570-8
定　　价　40.00 元
质量监督电话　010-58572393